THANGUY FRIÇO e PATRÍCIA FRIÇO

OS 4 PASSOS FUNDAMENTAIS PARA TORNAR-SE UM EXEMPLO PARA SEUS FILHOS, TRANSFORMAR O SEU COTIDIANO E REVOLUCIONAR A SAÚDE DA SUA FAMÍLIA

Gente
AUTORIDADE

CARO LEITOR,

Queremos saber sua opinião sobre nossos livros.

Após a leitura, curta-nos no **facebook.com/editoragentebr**,

siga-nos no **Twitter @EditoraGente** e

no **Instagram @editoragente**

e visite-nos no site **www.editoragente.com.br**.

Cadastre-se e contribua com sugestões, críticas ou elogios.

NOTA DA PUBLISHER

Os filhos são o espelho dos pais. Essa é uma grande verdade com a qual nos deparamos ao criá-los e apoiar uma vida saudável dentro de casa sempre foi uma de minhas prioridades. Por isso, apresento com orgulho os médicos Thanguy Friço e Patrícia Friço, dois autores maravilhosos que têm como propósito revolucionar a relação familiar com a saúde por meio de estratégias simples e que enxergam o outro com atenção e generosidade.

Em **Pais saudáveis = filhos saudáveis**, esses autores queridos nos convidam a olhar para coisas tão sagradas, como o nosso sono e a nossa alimentação, para nos ensinar hábitos poderosos com um impacto de transformação imenso. Aqui você encontrará uma obra escrita não apenas por um casal de médicos estudiosos, mas, sobretudo, por pais atentos que usaram de todo o conhecimento científico adquirido durante anos de experiência com a Medicina para agregar leveza e inspiração na vida dos filhos e na vida de todos os que carregam esta obra tão poderosa em mãos. Conhecer a história e a transformação da família Friço foi um enorme prazer e apresentar este livro para você é um prazer mais grandioso ainda.

Com esta leitura, o meu objetivo é que você reflita sobre a saúde de quem você mais ama: a saúde de sua família. E não se esqueça: o exemplo começa com nós mesmos e não podemos mais perder tempo. Pais saudáveis refletem filhos saudáveis e você tem a melhor ferramenta em mãos para dar o primeiro passo. Boa leitura!

ROSELY BOSCHINI – CEO e Publisher da Editora Gente

Diretora
Rosely Boschini
Editora
Franciane Batagin Ribeiro
Assistente Editorial
Alanne Maria
Produção Gráfica
Fábio Esteves
Preparação
Andréa Bruno
Capa
Renata Zucchini
Projeto Gráfico e Diagramação
Vanessa Lima
Ilustração de Miolo
Sagui Estúdio (p.110)
Revisão
Algo Novo Editorial
e Wélida Muniz
Impressão
Edições Loyola

Rua Original, 141/143 – Sumarezinho
São Paulo, SP– CEP 05435-050
Telefone: (11) 3670-2500
Site: www.editoragente.com.br
E-mail: gente@editoragente.com.br

Dados Internacionais de Catálogo na Publicação (CIP)
Angélica Ilacqua CRB-8/7057

Friço, Thanguy
Pais saudáveis = filhos saudáveis: os 4 passos fundamentais para tornar-se um exemplo para seus filhos, transformar o seu cotidiano e revolucionar a saúde da família / Thanguy Friço, Patrícia Friço. – São Paulo: Gente Autoridade, 2021.
208 p.

ISBN 978-65-88523-24-7

1. Nutrição 2. Hábitos de saúde 3. Família I. Título II. Friço, Patrícia

21-2639 CDD 613.2

Índice para catálogo sistemático:
1. Nutrição

DEDICATÓRIA

Queremos dedicar este livro a Zeca e Lita Friço e Hélio e Eunice Corrêa, nossos pais, que foram os nossos maiores exemplos e incentivadores durante toda a nossa vida. Nunca os esqueceremos.

E também para as nossas filhas Maitê e Luma. A alegria que vocês compartilham conosco não conhece limites, assim como o nosso amor por vocês. Nunca se esqueçam disso.

AGRADECIMENTOS 

Queremos agradecer em primeiro lugar a Deus pelo dom da vida e pelo dom da Medicina, área pela qual podemos levar muito amor, carinho, dedicação e conhecimento a todos que cruzam os nossos caminhos.

Tivemos a sorte de encontrar pessoas notáveis durante a nossa trajetória de vida, pessoas sábias e compreensivas que foram mais do que decisivas em nossa jornada, porque o poder do exemplo diz mais do que qualquer palavra.

Obrigado aos nossos irmãos Gotardo e Gael Friço, Hélio, Denise e Sérgio Corrêa por todo companheirismo durante a vida. Vocês foram fundamentais para o nosso crescimento e amadurecimento como pessoas e como profissionais. Somos gratos a todos os nossos amigos, parentes e pacientes que sempre nos incentivaram no desenvolvimento deste livro.

Queremos agradecer a todas as pessoas da Editora Gente, sem as quais não teríamos as preciosas orientações para escrever esse livro.

Somos gratos também a todas as pessoas da nossa equipe do Projeto Escola Saudável, em especial aos amigos Vicente Falcão, Fabrício Taufner e Valéria Grafanassi. Juntos mudaremos o conceito de saúde das novas gerações!

Por fim, queremos agradecer a você, caro leitor, e não fazemos isso de forma superficial. Somos verdadeiramente gratos por você reservar um tempo para ler esse livro. Queremos que saiba que pensamos em você e na sua família enquanto escrevíamos cada linha. Nada é mais gratificante para nós do que saber que as nossas palavras estão sendo lidas pelas pessoas para as quais escrevemos. Obrigado de coração!

SUMÁRIO

PREFÁCIO

É fascinante refletir sobre o profundo mistério que envolve a razão e o modo como pessoas especiais entram em nossas vidas. Por caminhos cruzados e certamente não aleatórios, em uma trajetória traçada pelo Grande Geômetra e com um propósito que foge à nossa limitada compreensão, conheci os colegas Thanguy e Patrícia Friço, talvez como prêmio, merecimento ou graças ao desenho mágico que só o Alto pode permitir.

Conheci Thanguy por meio de um amigo em comum, o notável jornalista Eustáquio Palhares. Na época, eu acabara de chegar em Vila Velha (ES), vindo de Brasília. E embora médico de formação holística, nutrólogo, autor de vários títulos sobre saúde a partir de terapias alternativas e um grande apreciador de um modelo de medicina coerente, padecia de uma inflamação no joelho direito, resultante – pasmem – de excesso de atividade física! A doença se chamava *sinovite vilonodular*, um nome estranho para um tipo de tumor pré-maligno de difícil tratamento e de prognóstico sombrio, pois, mesmo após procedimentos cirúrgicos, a tendência é que a articulação seja substituída por uma prótese.

O fato é que eu mancava e sentia muitas dores, sendo que o joelho, inflamado, comprometia a minha imagem de médico-exemplo. Obrigado a viajar para a realização de cursos, palestras, congressos e eventos médicos, tentava, infrutiferamente, disfarçar a deambulação irregular e, via de regra, quando perguntavam sobre o joelho, usava a mentira como recurso para proteger minha moral e afirmava que sim, eu havia o machucado. No entanto, já contavam dois anos desse incidente e, para o meu transtorno, as pessoas reparavam que o joelho continuava "machucado". Tentei todos os recursos terapêuticos que conhecia, incluindo dieta, suplementos, anti-inflamatórios e aplicações locais, nenhum deles surtiu efeito e, para o meu desespero, a necessidade de uma cirurgia se anunciava. Certamente, embora contínua e dilacerante, a dor física não era pior do que a dor moral.

Diante disso, comecei a utilizar a ozonioterapia sistêmica, tratamento médico que já recorria para tratar diversos males dos pacientes que acompanhava. Com a esperança de uma cura, fiz duas aplicações dentro da articulação do joelho afetado em Brasília. Porém, muitas aplicações seriam necessárias até obter um resultado e a mudança obrigatória para Vila Velha interrompeu o tratamento. Mas, em 2017, compadecido com meu sofrimento, Eustáquio falou sobre um médico excepcional, um ortopedista e seu amigo, atuando com ozonioterapia, exatamente em Vila Velha.

Marcamos uma consulta com esse médico, o Dr. Thanguy. No outro dia, estávamos na sala de espera de sua clínica e depois de alguns minutos de uma espera angustiante, uma porta se abriu e me deparei com uma figura alegre, vibrante e dona de um sorriso magnético. Relaxei e senti, naquele momento, muita segurança, pois havia encontrado um jovem médico de aspecto muito saudável, dinâmico e fraterno. Não pude, também, deixar de constatar seu olhar agudo, como o de um menino travesso e perspicaz, revelando um traço de sua alma franca, livre e determinada, expressando, com nitidez, uma corajosa ousadia, aquela que confere a seres especiais as certezas inusitadas frente aos desafios da vida e da profissão médica.

Ali, percebi que estava não apenas na companhia de um colega, mas de um amigo, um irmão, que parecia conhecer há anos. Embora Eustáquio tenha informado Thanguy sobre a minha trajetória profissional, isso fez pouca diferença, pois a amizade e a identificação foram instantâneas. Com maestria e extrema competência – apesar de rir dos momentos em que me queixava de dor chamando-me de "chorão" –, tratou-me com cerca de 40 aplicações de ozônio e minha recuperação foi total, sem necessidade alguma de cirurgia. Voltei a correr cerca de 10 km, três vezes por semana, graças a esse ser nobre, cuja visão de mundo e de sociedade é singular e luminosa. De lá para cá, firmamos uma amizade profunda, de tal modo que desenvolvemos diversos projetos juntos, incluindo a sua prestimosa colaboração em *Curas Médicas Extraordinárias* (Editora Mizuno, 2019), meu último livro.

Conheci Patrícia um pouco depois e ela, junto com Thanguy, forma um casal incomum pela sua dedicação e pelo amor à profissão. Eles fazem parte de um raro grupo de médicos: verdadeiros discípulos de Hipócrates, que honram a Nobre Arte com coragem, criatividade, perspicácia e determinação.

Por serem pais de duas adolescentes lindas e inteligentes e lidarem com os mais diversos desafios da criação de filhos, decidiram publicar esta oportuna e necessária obra como resultado de sua experiência como pais e médicos. Por esta razão, esse livro apresenta uma coerência extraordinária, pois tem como fundamento as constatações do casal quanto à educação de crianças e adolescentes, o que apenas realça a importância e o valor do ensinamento prático e do exemplo, sobretudo em relação à saúde e ao comportamento de nossos filhos.

Para mim, é uma honra indescritível prefaciar este livro e agradeço muito a esse casal tão amigo por esta oportunidade. **Pais saudáveis = filhos saudáveis** é uma leitura mais que necessária para aqueles que desejam criar filhos com saúde, equilíbrio e amor. Além disso, a escolha da Editora Gente, com a qual publiquei meu livro *Medicina & Alquimia*, em 1991, foi fortuita, pois trata-se de uma casa publicadora de excelência e com tradição na elaboração de livros voltados para a essência da existência e do sentido da vida.

DR. MARCIO BONTEMPO

INTRODUÇÃO

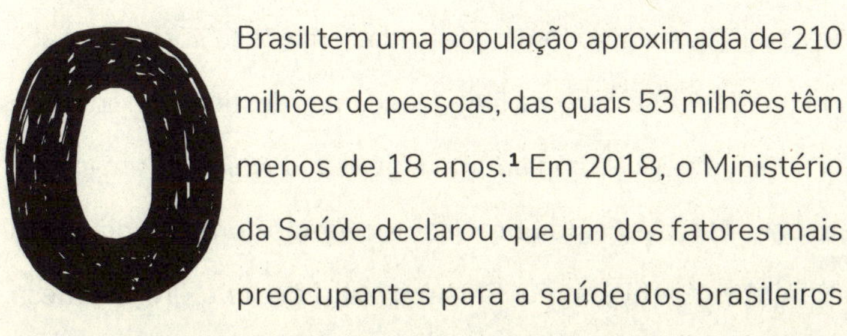

O Brasil tem uma população aproximada de 210 milhões de pessoas, das quais 53 milhões têm menos de 18 anos.[1] Em 2018, o Ministério da Saúde declarou que um dos fatores mais preocupantes para a saúde dos brasileiros correspondia ao aumento progressivo do consumo de alimentos ultraprocessados (com baixo valor nutricional, ricos em gorduras, sódio e açúcares) e ao aumento da obesidade. Nesse mesmo ano, uma em cada três crianças de 5 a 9 anos estava com excesso de peso, 17,1% dos adolescentes apresentavam sobrepeso e 8,4% estavam obesos.

Em um estudo realizado em 2020 pela Universidade Federal de Minas Gerais (UFMG),[2] foi feita uma pesquisa com quase 4 mil crianças e adolescentes para avaliar o impacto da pandemia do novo coronavírus em seu comportamento. O resultado mostrou que 51% das crianças estão comendo mais após o início da pandemia, praticamente 72% estão sedentárias e 52% estão

1 Estimativa do Instituto Brasileiro de Geografia e Estatística (IBGE) para o ano de 2019.

2 VILAÇA, V. Pesquisa da UFMG aponta que crianças e adolescentes estão mais estressados na pandemia. **G1**, 21 nov. 2020. Disponível em: https://g1.globo.com/mg/minas-gerais/noticia/2020/11/21/pesquisa-em-desenvolvimento-pela-ufmg-aponta-que-criancas-e-adolescentes-estao-mais-estressados-na-pandemia.ghtml. Acesso em: jun. 2021.

com problemas relacionados ao sono. Outro dado preocupante é que 75% das crianças e dos adolescentes estão ficando mais de três horas por dia no celular, uma hora a mais que o limite considerado adequado pela Sociedade Brasileira de Pediatria. Se somarmos todas as horas de aulas on-line a que eles estão sendo submetidos, o tempo de tela quase ultrapassa oito horas diárias.

As ideias de saúde deste livro foram plantadas em nosso coração pouco antes do nascimento de nossa primeira filha. Queríamos desde o princípio que ela fosse uma criança e depois uma adulta muito saudável. Mas um incentivo importante para escrever esta obra aconteceu após uma reunião com um grupo de parentes e amigos reunidos em volta de uma grande mesa em Burarama, no Espírito Santo, quando percebemos o quanto a geração dos nossos filhos está doente.

Durante boa parte daquele dia, conversamos sobre vários problemas de saúde e de comportamento em comum que nossos filhos apresentavam, os quais você logo descobrirá neste livro. Mas não era uma conversa unilateral: o papo se animava à medida que cada um compartilhava seus problemas pessoais enquanto discutíamos sobre o tipo de filhos que gostaríamos de criar para o mundo e sobre o tipo de pais e mães que gostaríamos de ser.

Todos demonstraram grande preocupação com a alimentação pouco saudável das crianças, dada a preferência delas por alimentos industrializados em detrimento de frutas, verduras e legumes. Ficamos impressionados com o desânimo de nossos filhos em praticar atividades que exigem esforços físicos, uma vez que quase não brincam se não for no modo on-line, embora sejam filhos de uma geração que foi acostumada a brincar na rua praticamente todos os dias.

Quatro em cada cinco crianças e adolescentes no mundo são sedentários, segundo um estudo divulgado pela Organização Mundial da Saúde (OMS). De acordo com a pesquisa, em todo o mundo, "81% dos jovens entre 11 e

17 anos escolarizados não cumpriram a recomendação de uma hora diária de atividade física em 2016, registrando uma ligeira queda em relação a 2001 (82,5%)". Os índices são mais preocupantes ainda entre as meninas, já que 85% delas são sedentárias, em comparação a 78% dos meninos.[3]

Em relação ao sono, percebemos que o tempo dedicado ao descanso está cada vez mais reduzido e fragmentado às custas de horas perdidas em frente à televisão, ao computador ou ao celular. Segundo a Sociedade Brasileira de Pediatria, em estudo realizado em 2020,[4] aproximadamente 69% das crianças têm algum problema de sono, pelo menos algumas noites por semana. Cerca de 33% das crianças até 10 anos acordam pelo menos uma vez por noite e necessitam da atenção dos pais. Precisamos estar atentos principalmente após a pandemia, pois esse momento de estresse e mudança de rotina das crianças e adolescentes pode ser o início de quadros relacionados a transtornos do sono.

A questão do controle emocional também está em alerta, pois a maioria dos nossos filhos apresenta altos níveis de estresse e ansiedade, insatisfação com a imagem pessoal e não percepção da felicidade. Além disso, estão totalmente viciados no mundo on-line, deixando de perceber que existe uma vida inteira para ser vivida no modo off-line.

Esse grupo de parentes e amigos, mesmo sem saber de sua importância, nos ajudou a aprimorar nosso raciocínio e nos encorajou a colocar todas as nossas ideias em um livro que explicasse um roteiro para ensinar hábitos de saúde para crianças e adolescentes que todos pudessem seguir de maneira

---

3 84% dos jovens entre 11 e 17 anos no Brasil são sedentários, diz OMS. **Correio Braziliense**, 22 nov. 2019. Disponível em: https://www.correiobraziliense.com.br/app/noticia/mundo/2019/11/22/interna_mundo,808406/84-dos-jovens-entre-11-e-17-anos-no-brasil-sao-sedentarios-diz-oms.shtml. Acesso em: jun. 2021.

4 MODELLI, L. Como melhorar o sono de crianças e adolescentes durante o isolamento social. **G1**, 12 maio 2020. Disponível em: https://g1.globo.com/bemestar/viva-voce/noticia/2020/05/12/como-melhorar-o-sono-de-criancas-e-adolescentes-durante-o-isolamento-social.ghtml. Acesso em: jun. 2021.

prática. É muito provável que este livro que você tem em mãos agora estivesse adormecido em nosso coração se não fosse o compartilhamento dos problemas e o encorajamento desses parentes e amigos.

Além deles, muitos pais e mães têm conversado conosco sobre o comportamento e a saúde de seus filhos não estarem de acordo com o que eles esperavam.

A nossa grande missão é levar informações relevantes de saúde, estruturadas em um método de ensino para que pais e mães possam praticar e ensinar hábitos saudáveis aos filhos.

Por isso, criamos um método baseado nos quatro elos da saúde, que são:

1. **Atividade física regular e diária.**
2. **Alimentação equilibrada baseada em comidas de verdade.**
3. **Sono restaurador e de qualidade.**
4. **Controle emocional, equilibrando a razão e as emoções.**

A população em geral, incluindo crianças e adolescentes, recebe grande volume de informações de saúde, muitas delas desencontradas e inverídicas, que podem confundir e gerar muitos malefícios. O método que você vai conhecer neste livro é fundamentado na Medicina do Estilo de Vida, uma abordagem baseada em evidências científicas que visa ajudar crianças, adolescentes e famílias a adotarem e manterem hábitos saudáveis que afetem a saúde e a qualidade de vida.[5]

Por meio da oferta de conteúdo baseado nas atuais evidências científicas, associada à experiência atendendo famílias no consultório e lidando

5 LIANOV, L.; JOHNSON, M. Physician competencies for prescribing lifestyle medicine. **JAMA: The Journal of the American Medical Association**. 2010. Disponível em: https://reference.medscape.com/medline/abstract/20628134. Acesso em jun. 2021.

com a nossa família, o livro capacita o leitor a ajudar a si mesmo e aos seus familiares e amigos ao adotar e manter hábitos saudáveis, assim como a atuar na prevenção de doenças, pois ensinamos as pessoas os motivos para fazer tais mudanças e como fazer essas mudanças da maneira mais natural e gradativa possível, com manutenção por toda a vida.

COMO REVOLUCIONAMOS A NOSSA FORMA DE VER A SAÚDE

Eu, dr. Thanguy Gomes Friço, nasci em Vitória, capital do Espírito Santo, em 1975. Concluí a graduação em Medicina em 1998 na Escola Superior de Ciências da Santa Casa de Misericórdia de Vitória (Emescam) e fiz residência médica na Universidade Federal de Minas Gerais (UFMG) em Ortopedia e Traumatologia. Posteriormente, cursei uma especialização na área de Cirurgia da Coluna no Hospital das Clínicas e no Hospital da Baleia, em Belo Horizonte, lugar onde conheci minha esposa, a também médica Patrícia de Mello Corrêa Friço, que era residente de Pediatria na época. Nos casamos em 2002 e nos mudamos para Vila Velha, no Espírito Santo, onde moramos até hoje.

No dia 9 de dezembro de 2005, estava na casa dos meus pais assistindo à final do Campeonato Brasileiro entre Corinthians e Internacional. De repente, meu pai começou a sentir um desconforto no peito e a ficar com o rosto vermelho. Ele estava com 56 anos, era funcionário da então Vale do Rio Doce e estava com todos os exames em dia (tinha concluído recentemente os exames periódicos).

Medimos a pressão arterial dele: 20 x 14; ou seja, estava enfartando. Levamos meu pai para o hospital e, após uma série de exames, foi constatada a necessidade da realização de uma cirurgia aberta, com a colocação de três pontes de safena e uma mamária. No entanto, mesmo após a cirurgia, os resultados ainda não eram satisfatórios, e foi necessário colocar mais quatro *stents*.

A partir dessa data, ao quase perder o meu grande amigo, comecei a questionar o modelo de medicina que eu havia aprendido até aquele momento. Modelo esse focado em doenças, com indicação de medicamento para tudo. E a prevenção? Os check-ups periódicos que o meu pai fazia não foram capazes de salvá-lo, e sim a sorte de eu estar junto no dia em que ele enfartou.

De lá para cá, apesar de ser ortopedista e cirurgião de coluna, nunca me dei por satisfeito. Comecei a estudar cada dia mais e mais. Fiz cursos em áreas diversas como medicina do estilo de vida, fisiologia do envelhecimento, medicina do sono, programação neurolinguística, *health coach*, hipnose, pós-graduação em Nutrição e Fisiologia do Exercício.

Já eu, dra. Patrícia, nasci em Lavras, Minas Gerais, também em 1975. Graduei-me em Medicina no ano de 2000, em Barbacena, e fiz residência médica em Pediatria no Hospital da Baleia, em Belo Horizonte. Posteriormente fiz outra especialização em Dermatologia na mesma cidade.

Desde criança queria ser pediatra e também tratar da beleza das pessoas, sonhos que pude realizar com minhas especializações. Porém, ser médica e prescrever orientações do que fazer em relação a saúde e a cuidados com crianças e adolescentes é uma coisa, outra é sentir na pele as dificuldades de ser mãe.

Tivemos nossa primeira filha, a Maitê, em 2006, e quatro meses depois de seu nascimento descobrimos que eu estava grávida de novo: Luma estava a caminho e nasceu em 2007 – uma diferença de um ano e um mês que quase me deixou louca.

Enquanto as crianças eram pequenas e as únicas preocupações que tínhamos eram com as mamadeiras e as fraldas, estava tudo bem. Apesar de ser pediatra, comecei a ter dificuldades em controlar os hábitos de saúde delas, principalmente após os 8 anos, quando começaram a escolher o que queriam fazer e comer.

Apesar de atualmente trabalhar na área de dermatologia estética, a dificuldade em educar minhas filhas em relação a hábitos de saúde me levou a fazer cursos em áreas diversas, como hebiatria (especialidade médica que cuida dos adolescentes), programação neolinguística, coach, entre outros.

Nós dois estudamos por mais de 10 mil horas, tornando-nos profissionais e pais que enxergam o paciente e seus filhos como um todo, e não em partes. Somos apaixonados pela medicina do estilo de vida, e nela identificamos que os pais são os grandes responsáveis pelo desenvolvimento dos hábitos de saúde dos filhos, justamente o que vamos contar para vocês neste livro, *Pais saudáveis = filhos saudáveis*.

Por fim, queremos agradecer a você, leitor, por reservar um tempo para ler este livro e queremos que saiba que pensávamos em você e em seus filhos enquanto escrevíamos cada parágrafo, cada linha. Nada é mais gratificante para nós do que saber que nossas palavras estão sendo lidas pelas pessoas para as quais escrevemos. Nosso muito obrigado de coração.

Se você é pai ou mãe, reconheça que este é o seu chamado mais importante e o seu desafio mais recompensador. O que você faz, o que você diz e como você age a cada dia em relação a sua saúde contribui para moldar a vida e o mundo dos seus filhos muito mais do que qualquer outro fator. Vamos juntos aprender a fazer a tradução dos hábitos de saúde que moldarão a vida de nossas crianças.

"TU TE TORNAS ETERNAMENTE RESPONSÁVEL POR AQUILO QUE CATIVAS."

Antoine de Saint-Exupéry

CAPÍTULO 1
NOSSOS FILHOS ESTÃO DOENTES

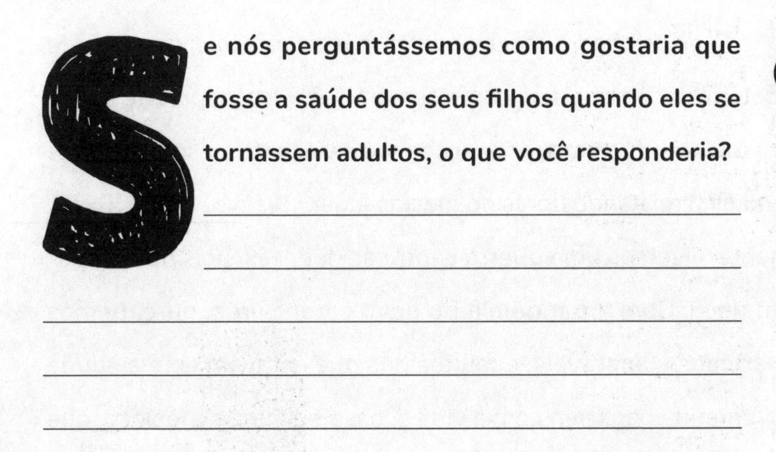

Se nós perguntássemos como gostaria que fosse a saúde dos seus filhos quando eles se tornassem adultos, o que você responderia?

Provavelmente você está lendo este livro enquanto divide o seu tempo entre emprego, demais tarefas e obrigações. Ou talvez em um fim de semana ou em uma viagem durante a qual espera ter mais tempo para leitura. Não importa onde você esteja, queremos agradecer por ter feito essa conexão conosco.

COMO PAIS DE DUAS ADOLESCENTES, CONHECEMOS O DESAFIO DE ENCONTRAR ALGUM TEMPO PARA LER UM LIVRO E VAMOS FAZER O POSSÍVEL PARA QUE TODO O SEU ESFORÇO VALHA A PENA.

Temos uma pergunta muito importante: por que você deveria ler este livro? E a resposta é: porque essa leitura pode moldar a vida e os hábitos de saúde de seus filhos para sempre. Acha que estamos exagerando? Acreditamos que não.

Não há nada tão contagioso como o exemplo. Na maioria das vezes, nossos filhos, mesmo sem a gente perceber, não nos ouvem, nos imitam. No meu consultório de ortopedia, recebo muitas mães e pais queixando-se de dores em determinados locais do corpo com frequência e, depois de algum tempo, para minha surpresa, acabo recebendo a visita do mesmo paciente trazendo seu filho relatando dores no mesmo lugar.

Atualmente, vivemos uma guerra contra as doenças, pois nossa saúde está em risco. Com a pandemia do novo coronavírus, percebemos o quanto estamos vulneráveis, e muitos dos que estavam com a saúde mais comprometida pagaram com a vida. Nosso bem mais precioso, que são nossos filhos, também se encontram em risco, mas a maioria de nós não percebeu isso. Hoje temos mais farmácias do que supermercados, pois estamos doentes e consumimos muitos medicamentos, na maioria das vezes sem necessidade. E a indústria de alimentos, com seu marketing agressivo focado em crianças e adolescentes (que são os principais alvos do setor alimentício), nos faz comer cada vez mais produtos pouco saudáveis, principalmente fast-foods e comidas industrializadas.

É importante ressaltar que os problemas de saúde de crianças e adolescentes estão relacionados, intrinsecamente, ao setor industrial que produz os alimentos. São essas comidas que apresentam em sua composição substâncias que, quando consumidas em excesso, podem prejudicar o metabolismo. A exemplo disso, no documentário *Super Size Me: A dieta do palhaço*, vemos os resultados na saúde de um homem que ingere exageradamente os lanches do McDonald's. Durante trinta dias, ganhou 11,1 kg de peso, e teve aumento de colesterol acima de 230 mg/dl, alterações do humor e acúmulo de gordura no fígado.

Segundo dados do Ministério da Saúde, o Brasil tem uma em cada três crianças com sobrepeso, muitas já consideradas obesas. Em 2015, era uma para cada quatro.[6] O Relatório do Fundo das Nações Unidas para a Infância (Unicef) revela que 250 milhões de crianças no mundo estão obesas ou com sobrepeso.[7] Uma das principais causas, além do sedentarismo, são alimentos industrializados, ultraprocessados, pouco saudáveis e que trazem grandes danos à saúde no longo prazo.

As crianças não têm a menor noção do que são alimentos saudáveis, exceto por aqueles que viram na propaganda da televisão ou das redes sociais. No Brasil, como na maior parte do mundo, crianças e adolescentes estão comendo pouca comida saudável e muita comida pouco saudável. Hoje há uma tripla carga de má nutrição, em que desnutrição e deficiência de vitaminas e minerais acontecem juntos do sobrepeso e da obesidade.

Ceder às vontades dos filhos pode parecer um recurso mais fácil. Entregar o pacote de biscoitos ou deixar com que troquem o almoço por um lanchinho pode aliviar a tensão momentânea da pirraça ou do momento de birra. Contudo, no médio e longo prazo, os estragos aparecem não apenas na educação mas também na saúde deles.

À medida que as crianças crescem, sua exposição a alimentos pouco saudáveis se torna alarmante, impulsionada em grande parte pela publicidade, pela abundância de alimentos ultraprocessados, tanto nas cidades quanto

---

6 SILVA, M. J. Obesidade infantil desafia pais e gestores. **Secretaria de Estado de Saúde do Governo do Estado de Goiás**, 11 out. 2019. Disponível em: https://www.saude.go.gov.br/noticias/81-obesidade-infantil-desafia-pais-e-gestores. Acesso em: jun. 2021.

7 MÁ alimentação prejudica a saúde de milhões de crianças em todo o mundo, alerta o UNICEF. **UNICEF**. Nova York/Panamá/Brasília, 15 out. 2019. Disponível em: https://www.unicef.org/brazil/comunicados-de-imprensa/ma-alimentacao-prejudica-saude-das-criancas-em-todo-o-mundo-alerta-o-unicef. Acesso em: jun. 2021.

em áreas remotas do país, e também pelo aumento do acesso de toda a população aos fast-foods e às bebidas altamente açucaradas.

O relatório do Unicef mostra que praticamente 62% das crianças e adolescentes em idade escolar consomem refrigerantes com açúcar pelo menos uma vez por dia e 49% comem fast-food pelo menos uma vez por semana.

Como resultado, os níveis de sobrepeso e obesidade na infância e na adolescência estão aumentando em todo o mundo. Entre 2000 e 2016, a proporção de pessoas entre 5 e 19 anos com excesso de peso praticamente dobrou, passando de uma em cada dez para quase uma em cada cinco; dez vezes mais meninas e doze vezes mais meninos nessa faixa etária sofrem de obesidade hoje em comparação com o ano de 1975.

Já a indústria do emagrecimento e da vida saudável quer nos vender shakes, medicamentos para emagrecer, suplementos, vitaminas e minerais que seriam, provavelmente, desnecessários caso soubéssemos nos alimentar de maneira adequada. Em 2010, a Proteste (Associação Brasileira de Defesa do Consumidor) testou dez misturas para emagrecimento e concluiu que todas as marcas analisadas não forneciam alimentação balanceada e, por isso, não deviam ser utilizadas sem orientação médica e nutricional adequadas.

Em nossas palestras, sempre contamos a história dos trabalhadores das minas de carvão. No século XIX, era comum monitorar o nível de gases tóxicos usando canários. As aves eram as primeiras a morrer (por conta da quantidade de gases venenosos, como metano ou monóxido de carbono), sinalizando o momento em que os mineiros deveriam deixar o local para evitar a intoxicação.

O canário servia, portanto, como alerta para o perigo. Enquanto estivesse bem e cantando, os mineiros estariam seguros. Um canário em silêncio ou morto sinalizaria a necessidade de fuga imediata. Prestar atenção ao seu canto era de fundamental importância. A expressão "canário em uma mina de carvão" (do original inglês, "*canary in the coal mine*") refere-se a qualquer sinal ou indicador avançado que assinale a iminência de um perigo.

O que acontece hoje é que os nossos canários, que são os nossos filhos, demonstram sinais e sintomas de doenças que antes só apareciam da meia-idade para a frente. E então nos perguntamos: qual é o mundo que queremos deixar para os nossos filhos? Estamos vendo as crianças desde tão cedo já doentes, sendo acometidas por enfermidades como pressão alta, obesidade, altos níveis de colesterol, distúrbios do sono, ansiedade e depressão – algumas delas até mesmo cometem suicídio. Depois do advento da internet e das redes sociais, nossos filhos estão viciados e vidrados em seus dispositivos eletrônicos, relegando a segundo plano a importância da vida off-line.

O Brasil possui a segunda maior média mundial de tempo gasto com o uso de smartphones: 4 horas e 48 minutos.[8] E as crianças, cada vez mais conectadas às telas, estão indo para o mesmo caminho: oito em dez crianças usam a internet com frequência, segundo o Comitê de Gestão da Internet no Brasil. São mais de 20 milhões de crianças e adolescentes vidrados em celulares, computadores, *tablets* e videogames.[9]

Esse uso excessivo pode causar inúmeros problemas para o desenvolvimento das crianças e dos adolescentes. Um dos problemas mais preocupantes está relacionado à postura. A criança que fica um tempo prolongado usando o celular pode adquirir a posição cifótica (curvada), com os braços e a cervical em flexão (inclinado para a frente), pois ela não tem a maturidade

---

8 PAIVA, F. Brasileiros passam em média 4,8 horas por dia em seus smartphones. **Mobile Time**, 15 jan. 2021. Disponível em: https://www.mobiletime.com.br/noticias/15/01/2021/brasileiros-passam-em-media-48-horas-por-dia-em-seus-smartphones. Acesso em: jun. 2021.

9 CRUZ, E. P. Brasil tem 24,3 milhões de crianças e adolescentes que usam internet. **Agência Brasil**, 17 set. 2019. Disponível em: https://agenciabrasil.ebc.com.br/geral/noticia/2019-09/brasil-tem-243-milhoes-de-criancas-e-adolescentes-utilizando-internet. Acesso em: jun. 2021.

para saber o que é uma postura adequada ou inadequada. É um prejuízo grande para o sistema musculoesquelético (ossos, ligamentos e musculatura), já que os movimentos repetidos atingem também as articulações.

Isso pode ocasionar sérios problemas futuros para essa geração hiperconectada, pois se nessa fase a criança já adquire algum tipo de desgaste precoce das articulações, ela pode criar o hábito vicioso de uma postura inadequada que levará para a vida toda, podendo causar até mesmo desvios na coluna, como a escoliose, ou um desgaste precoce da coluna vertebral, levando à formação de uma hérnia de disco.

Outro exemplo é a "síndrome do pescoço de texto", uma má postura que sobrecarrega a coluna, deixando a cabeça encurvada para a frente. As pessoas perdem a capacidade de adaptação e de conforto e podem passar a se queixar de dores ou incômodos quando realizam atividades com o pescoço na posição neutra. Muitos passam a caminhar olhando para baixo, como se um ímã estivesse puxando a cabeça para o chão, pois o simples fato de olhar reto pode acabar incomodando a pessoa.

O uso excessivo desses aparelhos pode gerar outros prejuízos ao desenvolvimento infantojuvenil, como afetar a visão por deixar o celular muito próximo ao rosto ou fazer com que a criança não se desenvolva adequadamente na parte de psicomotricidade, já que é nessa fase que várias habilidades básicas, como tomadas de decisões e habilidades manuais, são formadas através da socialização e da prática esportiva. Além disso, pode causar irritabilidade, alteração na atenção, mau desempenho escolar e isolamento social.

Atualmente, muitos dos nossos filhos não conseguem mais sentir alegria em uma festa, em uma viagem ou em uma reunião familiar se não tiver a presença do telefone e de uma rede de wi-fi. Eles praticamente não interagem mais com as pessoas, não fazem mais atividades físicas e só brincam se for on-line.

Como estão o tempo todo hiperconectados, acabam gastando tempo precioso de sono nas redes sociais, em jogos on-line ou em séries da Netflix, não descansando adequadamente e não absorvendo todos os benefícios hormonais e mentais que uma noite bem dormida pode proporcionar. Segundo o artigo de revisão *Manejo dos principais distúrbios do sono em pediatria*, publicado na *Revista Médica de Minas Gerais*,[10] os distúrbios do sono são a quarta queixa mais comum nos consultórios pediátricos. Um sono de quantidade ou qualidade inadequados pode comprometer o desenvolvimento físico, cognitivo, emocional, neurocomportamental e social da criança, além de prejudicar o sono e a dinâmica de toda a família. Atualmente, mais de 25% das crianças e adolescentes já têm distúrbios de sono,[11] problema que antigamente acontecia apenas na fase adulta.

E nem começamos a falar ainda da parte emocional que, principalmente após a pandemia de covid-19, foi muito prejudicada. Ficar o dia inteiro trancado em casa pode afetar o desenvolvimento e comportamento de todos. Em meio à pandemia, o uso dos equipamentos eletrônicos aumentou muito. Se antes crianças e adolescentes os usavam para assistir a desenhos ou brincar, agora eles são essenciais para falar com os parentes e amigos e, principalmente, para ter as aulas on-line.

Ver o professor pela tela de um computador ou celular se tornou comum; no entanto, muitos pais ainda têm receio de que essa nova forma de aprender possa prejudicar o desenvolvimento dos filhos. Além disso, na internet se perde um pouco a proximidade com os professores, e as crianças precisam

---

10 FERNANDES, A. E. R.; SANTOS, C. F. Manejo dos principais distúrbios do sono em pediatria. **Revista Médica de Minas Gerais**. Disponível em: http://www.rmmg.org/artigo/detalhes/2626. Acesso em: jun. 2021.

11 NUNES, M. L.; BRUNI, O. Insônia na infância e adolescência: aspectos clínicos, diagnóstico e abordagem terapêutica. **Jornal de Pediatria**. Rio de Janeiro, v. 91, n. 6, p. 26-35, nov. 2015. Disponível em: https://www.scielo.br/j/jped/a/JjhmGp5V43b3vPBrVJRX6sp. Acesso em: jun. 2021.

lidar com distrações quase o tempo todo, como a tentação da geladeira, o telefone tocando, a televisão, o cachorro, os brinquedos.

Segundo o novo relatório do Programa de Avaliação Internacional de Estudantes[12] (Pisa, na sigla em inglês), os brasileiros estão entre os que ficam mais estressados durante os estudos (56% dos entrevistados relataram esse tipo de problema). Nossos jovens também ocupam o segundo lugar no ranking dos mais ansiosos para as provas, mesmo quando estão preparados.

Outro ponto importante é a insatisfação que eles sentem com a própria imagem corporal, problema cada vez mais comum, principalmente entre as meninas, segundo o estudo *Motivos e prevalência de insatisfação com a imagem corporal em adolescentes*, desenvolvido com 642 adolescentes entre 11 e 17 anos.[13] Em especial durante a adolescência, as mudanças físicas, psicológicas e sociais a que são submetidos podem afetar significantemente os hábitos alimentares, a saúde nutricional e a percepção do próprio corpo.

A mídia em geral desempenha um papel importante na vida de crianças e adolescentes e dissemina a ideia de uma perfeição corporal na qual a magreza simboliza competência, sucesso e atração sexual, enquanto a obesidade representa preguiça, autopiedade e menor poder de decisão, além de menor qualidade de vida e de felicidade.

A insatisfação com a imagem corporal é apontada como um fator de risco para depressão e baixa autoestima nas diferentes faixas da infância e

---

12 PRADO, R. Estudantes brasileiros estão entre os mais estressados do mundo. **Gazeta do Povo**, 13 nov. 2017. Disponível em: https://www.gazetadopovo.com.br/educacao/estudantes-brasileiros-estao-entre-os-mais-estressados-do-mundo-3bg3ab4zb2q9wn51v3c0vfzze. Acesso em: jun. 2021.

13 PETROSKI, E.L.; PELEGRINI, A.; GLANER, M. F. Motivos e prevalência de insatisfação com a imagem corporal em adolescentes. **Scielo Brasil**. 2012. Disponível em: https://www.scielo.br/j/csc/a/LzpQDW37kVvRhSwpFF6GYzc/?lang=pt. Acesso em: jul. 2021.

adolescência. Estudos com populações europeias, norte-americanas, orientais e brasileiras identificaram que em torno de 20% a 60% das crianças e adolescentes pesquisados estão insatisfeitos com a própria imagem corporal.[14] Muitos deles têm distorção de imagem, se acham mais feios, menos inteligentes e mais infelizes, como se a própria vida fosse muito ruim em comparação ao que veem na internet.

A depressão na juventude é uma doença que precisa ser levada a sério, pois, se não for adequadamente diagnosticada e tratada, pode trazer consequências graves. Muitas vezes, os adolescentes podem apresentar sentimentos exagerados de culpa que levam ao abuso de drogas e até a pensamentos suicidas ou homicidas.

Na adolescência, a depressão pode ser desencadeada por diversas situações, como uso de drogas e álcool, histórico familiar da doença, ambição excessiva, necessidade de sucesso, perfeccionismo, distúrbios hormonais e alterações no corpo (como crescimento de pelos ou dos seios). Algumas características clínicas da depressão na adolescência são: tristeza, irritabilidade constante, falhas de memória e falta de autoestima. O estado depressivo pode ocorrer após ou durante situações de estresse, como a perda de alguém querido ou um fracasso escolar. Problemas familiares, falta de atenção e carinho, implicância dos colegas na escola ou rejeição também podem ser outras causas para o aparecimento de depressão na adolescência. Essas características podem ajudar pais, professores e amigos próximos a identificar o problema.

Eis que o sinal foi dado: a nossa mina está com níveis de poluição tóxicos para a vida humana. Os nossos canários adoeceram e correm risco de vida.

---

14 PEREIRA et *al*. Percepção da imagem corporal de crianças e adolescentes com diferentes níveis socio-econômicos na cidade de Florianópolis, Santa Catarina, Brasil. **Revista Brasileira de Saúde Materno Infantil** [on-line], v. 9, n. 3, pp. 253-262, 2009. Disponível em: https://www.scielo.br/j/rbsmi/a/VDKRjmP8vJhCnyGZrVk7XLf/?lang=pt#. Acesso em: jun. 2021.

E AGORA, O QUE VAMOS FAZER? SAIR CORRENDO DA MINA E ABANDONAR OS NOSSOS CANÁRIOS À PRÓPRIA SORTE? OU VAMOS ENFRENTAR O PROBLEMA DE FRENTE, BUSCANDO SOLUÇÕES EFETIVAS QUE POSSAM SALVAR A VIDA DOS NOSSOS FILHOS E TAMBÉM A EXISTÊNCIA HUMANA?

Imagino que você, assim como nós, também entenda que não podemos abandonar as nossas crianças; que precisamos, sim, cuidar delas e de sua saúde para que possamos construir um mundo saudável e que faça sentido daqui a dez, vinte ou até mesmo cem anos. Esse futuro está em nossas mãos e precisamos dar o primeiro passo agora.

VAMOS JUNTOS!

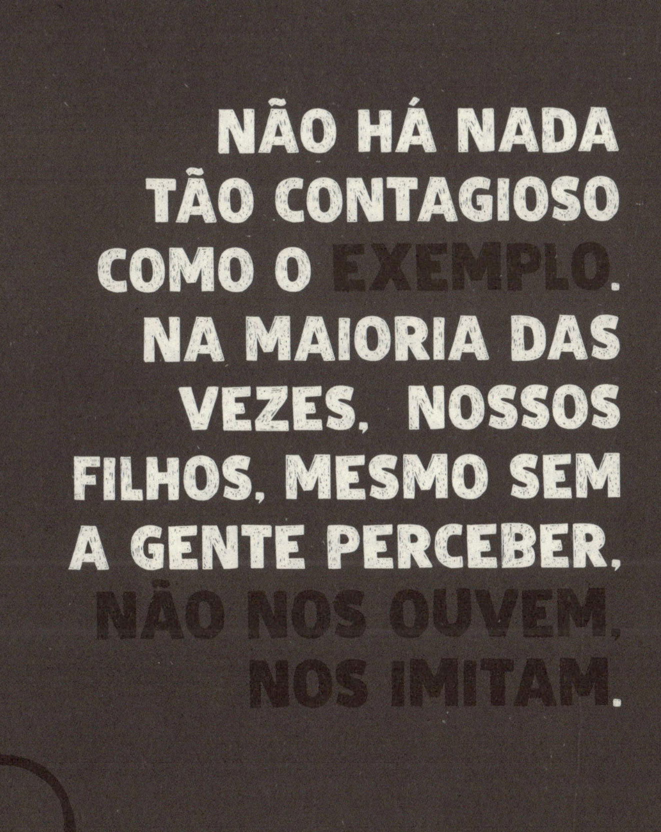
NÃO HÁ NADA
TÃO CONTAGIOSO
COMO O **EXEMPLO**.
NA MAIORIA DAS
VEZES, NOSSOS
FILHOS, MESMO SEM
A GENTE PERCEBER,
**NÃO NOS OUVEM,
NOS IMITAM.**

CAPÍTULO 2

COMO SER EXEMPLO DE SAÚDE DO QUE NEM CONHEÇO DIREITO

Era um sábado e tínhamos acabado de voltar da feira com todos os ingredientes e temperos necessários para fazer uma boa moqueca capixaba – com peixes e camarões frescos que havíamos comprado na peixaria da Prainha de Vila Velha, no Espírito Santo. Conversávamos sobre como poderíamos fazer para as meninas se alimentarem melhor.

Então a Luma, nossa caçula, abraçou as pernas do "pai cozinheiro" e o avental e disse algo que derreteu nossos corações: "Um dia quero cozinhar tão bem quanto você, papai. Você faz a melhor moqueca do mundo!". A verdade é que nossos filhos querem ser iguais a nós – eis o *Segredo do Espelho* funcionando novamente. É exatamente por isso que é tão importante sermos os melhores pais que pudermos, para servirmos de exemplo para nossos filhos.

O comentário de Luma nos deixou pensativos. Se ela queria ser igual ao pai, como ela o enxergava? Quais qualidades via nele que desejava imitar? De repente, ficamos mais conscientes de nós mesmos e do que havíamos sido durante anos. Nos sentimos como se fôssemos adolescentes olhando para o espelho, perguntando-nos o que as outras pessoas pensavam sobre nós. Começamos a nos olhar e avaliar dos pés à cabeça.

Nós éramos um casal saudável? Nossas filhas podiam olhar para nós e dizer: “Quero ser tão inteligente quanto o meu pai”, “Quero ser tão forte quanto a minha mãe”. Nós éramos atenciosos, amorosos, compreensivos, gentis? Todas essas qualidades eram imprescindíveis na vida de nossas filhas.

Você já teve esse tipo de pensamento? Quais características seu filho vê em você?

____

____

____

____

____

E mais importante: quais características seu filho não vê em você, mas você gostaria de que ele visse?

____

____

____

____

____

Será que estamos sendo exemplos em relação ao bem mais precioso que podemos deixar para os nossos filhos: a herança de hábitos saudáveis?

Para termos uma noção mais clara do que estamos trazendo: os nossos avós não se exercitavam em academias, eles trabalhavam na roça, em fábricas, em pequenos comércios ou com os afazeres da vida doméstica. Eles não precisavam se preocupar com conservantes, corantes e agrotóxicos nos alimentos.

O Brasil é hoje o país que mais gasta em agrotóxicos no mundo,[15] e, à proporção que nossa produção agrícola cresce, aumenta também o consumo deles. Desde 1962, com a publicação do livro *Primavera silenciosa*, de Rachel Carson, o mundo vem tomando consciência dos riscos dos agrotóxicos, também denominados "pesticidas agrícolas".

Há algum tempo, várias publicações e organizações vêm denunciando os efeitos colaterais à saúde humana e ao meio ambiente causados pelos diferentes tipos de agrotóxico.[16] Muitos pesticidas já foram proibidos ou até mesmo abandonados, enquanto vários outros surgiram no mercado. Infelizmente, mesmo que o cultivo de alimentos orgânicos tenha aumentado significativamente, os agrotóxicos continuam sendo utilizados em larga escala. O consumo brasileiro desses pesticidas mais que duplicou entre 2000 e 2012, segundo a 6ª edição dos Indicadores de Desenvolvimento Sustentável Brasil (IDS) do Instituto Brasileiro de Geografia e Estatística (IBGE).[17]

Mas como adaptar a nossa saúde se ninguém nunca nos ensinou a importância das atividades físicas e a frequência ideal delas? Ninguém nunca nos explicou a importância de comer com equilíbrio, sobretudo frente a todo o marketing da poderosa indústria alimentícia. Ninguém nunca nos ensinou que precisamos ter horário para dormir e horário para acordar, sendo que o sono é muitas vezes o elo perdido entre a saúde e a doença.

---

15 GARATTONI, B.; LACERDA, R. O país do agrotóxico. **Superinteressante**, n. 393. set. 2018.

16 HESS, S. C.; PORTO, M. F. S. **Agrotóxicos, é preciso controlar**: as nossas crianças merecem este cuidado. Disponível em: http://bscca.ufsc.br/files/2012/12/CartilhaAgrotoxicos.pdf. p.1-16. Acesso em: 26 abr. 2017.

17 CARVALHO et al. "Defensivos" ou "agrotóxicos"? História do uso e da percepção dos agrotóxicos no estado de Santa Catarina, Brasil, 1950-2002. **História, Ciências, Saúde – Manguinhos**, Rio de Janeiro, v. 24, n. 1, p. 75-91, jan/mar. 2017.

NINGUÉM NUNCA NOS ENSINOU A CONTROLAR NOSSAS EMOÇÕES, A EQUILIBRAR A RAZÃO E A EMOÇÃO EM TEMPOS DE INFORMAÇÕES TÃO ACELERADAS. NÃO APRENDEMOS A PRATICAR ATENÇÃO PLENA E MUITOS DE NÓS NUNCA FIZERAM UMA SESSÃO DE MEDITAÇÃO.

O grande problema é que os pais também são vítimas desse sistema baseado na doença e não têm informações suficientes para ajudar seus filhos nessa guerra. Então como podemos ensinar algo que nem conhecemos direito?

É uma questão complicada, mas podemos afirmar que cabe a nós sermos os responsáveis em fazer essa transformação no mundo, buscando informações que possam manter a saúde e a vida dos nossos bens mais preciosos: os filhos.

SERÁ QUE ESTAMOS SENDO EXEMPLOS EM RELAÇÃO AO BEM MAIS PRECIOSO QUE PODEMOS DEIXAR PARA OS NOSSOS FILHOS: A HERANÇA DE HÁBITOS SAUDÁVEIS?

CAPÍTULO 3
OBESIDADE ENTRE CRIANÇAS E ADOLESCENTES

Quando pensamos nas causas da obesidade, logo vem à mente a ideia de uma alimentação inadequada associada à falta de exercícios. Por isso acreditamos ser fácil tratar essa doença, mas é necessário levar em consideração que a obesidade pode ter várias causas, além de uma profunda relação com a forma como a família está estruturada e com o ambiente e o modo de vida no qual todos nós estamos inseridos.

Recebi em meu consultório a visita de um casal de 40 e 38 anos que estava preocupado com o filho de 10 anos, pois o garoto estava muito acima do peso. O menino tinha 1,45 metro e pesava quase 60 quilos, IMC de 28,5, o que indicava uma pré-obesidade.

IMC – CLASSIFICAÇÃO (de acordo com a OMS 2021):
Menor que 18,5 – Abaixo do peso
Entre 18,5 e 24,9 – Peso normal
Entre 25,0 e 29,9 – Pré-obesidade
Entre 30,0 e 34,9 – Obesidade Grau 1
Entre 35,0 e 39,9 – Obesidade Grau 2
Acima de 40 – Obesidade Grau 3

Durante a consulta, os pais contaram que o menino estava sendo vítima de bullying entre os amigos da escola e do futebol, sempre sendo um dos últimos a ser escolhido para os times, pois era muito pesado e lento. Ao fazer a análise da família, pude perceber que, tanto o pai quanto a mãe estavam acima do peso, mas eles não conseguiam perceber essa realidade.

Quando perguntei sobre os hábitos alimentares da família, pude notar o quanto seria difícil essa criança emagrecer sem a mudança de todo o ambiente obesogênico que a cercava em casa. Os pais, típicos descendentes de italianos, adoravam pães, massas, pizzas e muitos doces.

Eles já tinham tentado diversos tipos de dieta e levado a criança a muitos pediatras, endocrinologistas e nutricionistas que haviam receitado vários tipos de medicamento e também cardápios diversos. Enquanto eles faziam os regimes propostos, notavam certa perda de peso da criança, porém ela não conseguia manté-lo quando abandonava a dieta.

A obesidade é hoje um problema de saúde pública e sua prevalência, em todas as faixas etárias, vem aumentando em todo o mundo. No Brasil, de acordo com o IBGE de 2014, 15% das crianças entre 5 e 9 anos e 25% dos adolescentes têm sobrepeso ou obesidade.[18] O aumento desses índices está relacionado principalmente à redução do tempo dedicado às atividades físicas e às mudanças de hábitos alimentares, com a diminuição do consumo de frutas e vegetais e o aumento do consumo de alimentos industrializados e ricos em açúcares e gorduras, com grande valor calórico.

18 CARDOSO, L. Sobrepeso e obesidade atingem crianças cada vez mais cedo. **Época**, 7 jan. 2015. Disponível em: https://epoca.oglobo.globo.com/vida/noticia/2015/01/bsobrepeso-e-obesidadeb-atingem-criancas-e-adolescentes-cada-vez-mais-cedo.html. Acesso em: jun. 2021.

Dados da Vigilância de Fatores de Risco e Proteção para Doenças Crônicas por Inquérito Telefônico (Vigitel)[19] mostraram que, em 2018, o excesso de peso já acometia 55,7% da população do Brasil e a obesidade, 19,8%. Segundo dados do Ministério da Saúde[20] de 2018, crianças e adolescentes acima do peso têm mais chances de se tornarem adultos obesos. Uma criança obesa aos 6 anos tem 50% de chance de se tornar um adulto obeso. Um adolescente obeso tem entre 70% e 80% de chance de se tornar um adulto obeso.[21]

A consequência disso é o surgimento de várias doenças, como diabetes, problemas ortopédicos, distúrbios psicológicos, doenças cardiovasculares e hipertensão, sendo essa última um dos principais fatores de risco para infarto do coração e acidente vascular cerebral (AVC), popularmente conhecido como derrame.

A seguir listamos os fatores que causam obesidade que podemos identificar para minimizar os riscos:

ASPECTOS GENÉTICOS

Filhos de pais obesos têm maior probabilidade de apresentar obesidade, o que sugere a participação do fator hereditário na fisiopatologia da obesidade.

---

19 BRASIL. Ministério da Saúde. **Vigitel Brasil 2018: vigilância de fatores de risco e proteção para doenças crônicas por inquérito telefônico**: estimativas sobre frequência e distribuição sociodemográfica de fatores de risco e proteção para doenças crônicas nas capitais dos 26 estados brasileiros e no Distrito Federal em 2018. Ministério da Saúde, Secretaria de Vigilância em Saúde, Departamento de Análise em Saúde e Vigilância de Doenças não Transmissíveis. Brasília: Ministério da Saúde, 2019. Disponível em: https://portalarquivos2.saude.gov.br/images/pdf/2019/julho/25/vigitel-brasil-2018.pdf. Acesso em: jun. 2021.

20 BRASIL. Ministério da Saúde. Obesidade infantil: como prevenir desde cedo. **Saúde Brasil**. 3 jun. 2020. Disponível em: https://saudebrasil.saude.gov.br/ter-peso-saudavel/obesidade-infantil-como-prevenir-desde-cedo. Acesso em: jun. 2021.

21 MELLO, E. D.; LUFT, V. C.; MEYER, F. Obesidade infantil: como podemos ser eficazes? **Jornal de Pediatria**, 173-182, jun. 2004. Disponível em: https://www.scielo.br/j/jped/a/GftqBGnnCyhvZ89C9M4Pqsv/?lang=pt&format=pdf. Acesso em: jun. 2021.

Pesquisas na área da genética identificaram um gene e seu produto, a leptina. Produzida pelo tecido gorduroso do corpo, ela atua como um sinalizador de saciedade no cérebro, mais precisamente no hipotálamo.

Pessoas obesas possuem níveis séricos elevados de leptina. No entanto, parece haver diminuição da sensibilidade a essa substância no cérebro delas, ou seja, mesmo após o sinal de saciedade, elas continuam comendo.

ASPECTOS SOCIAIS

As crianças e os adolescentes estão inseridos no meio social e com ele estabelecem muitas trocas. Influenciam e são influenciados por estilos de vida, hábitos da família e também dos amigos. Todos esses fatores sociais sofrem influência de uma estrutura maior, que inclui os aspectos históricos, econômicos, políticos e midiáticos.

A obesidade entre crianças e adolescentes representa uma fonte de riscos biológicos e constitui-se em fonte de sofrimento, uma vez que interfere em aspectos como imagem corporal, relacionamento com amigos e parceiros sexuais e inserção no mercado de trabalho. Um estudo realizado na Universidade Harvard[22] mostrou, a partir da observação de jovens durante sete anos, que adolescentes com sobrepeso e obesidade apresentavam escolaridade mais baixa e recebiam menores salários em comparação com os que tinham o peso dentro da normalidade para altura e sexo.

---

22 STEVEN et al. Social and economic consequences of overweight in adolescence and young adulthood. **New England Journal of Medicine**, Waltham, v. 29, n. 14, p. 1008-1012, set. 1993. Disponível em: https://www.nejm.org/doi/full/10.1056/nejm199309303291406. Acesso em: jun. 2021.

Na abordagem da criança e do adolescente obeso, faz-se necessário conhecer o estilo de vida, os hábitos alimentares, as formas de lazer, a prática de atividades físicas e as relações familiares e sociais para que se compreenda o impacto exercido pela obesidade na vida deles.

ASPECTOS EMOCIONAIS

Em crianças e adolescentes obesos, podemos observar na sua relação com o ato de comer algo a mais do que uma simples satisfação de uma necessidade biológica. A comida tem várias significações para esses jovens, ultrapassando a satisfação apenas da fome biológica.

O conhecimento dessas características nos permite perceber aspectos emocionais que compõem também o quadro multifatorial e multicausal dos transtornos alimentares, entre os quais a obesidade. A partir daí podemos compreender que muitas vezes é fundamental a abordagem terapêutica das questões emocionais por profissionais da área de saúde mental quando queremos tratar uma criança ou um adolescente obeso.

ASPECTOS NUTRICIONAIS

O alimento e o modo de se alimentar representam a cultura de um povo. No caso dos brasileiros, as nossas origens portuguesas e africanas delinearam nosso cardápio: pratos ricos em gorduras saturadas, carboidratos simples e carnes vermelhas salgadas. Também temos facilidade em comprar alimentos rápidos e baratos, ricos em gorduras e açúcares.

Nesse cenário, a criança e o adolescente perpetuam o que lhes é ensinado e oferecido: aqueles que têm acesso à alimentação normalmente comem mal em quantidade e em qualidade.

A MUDANÇA DE ESTILO DE VIDA É O PRINCIPAL MEIO PARA A REDUÇÃO E O CONTROLE DO PESO.

Além da reeducação alimentar e do estímulo à atividade física, certos hábitos devem ser modificados, tais como melhorar a qualidade e a quantidade de sono e também o controle emocional.

As famílias obesas devem ter em mente que as pessoas não conseguem modificar seus genes, mas podem melhorar os hábitos. Essas mudanças trazem benefícios para todos os membros da família, inclusive para as próximas gerações, que crescerão em um ambiente saudável e sem os riscos associados à obesidade.

A família apresentada no início do capítulo entendeu que, se todos não mudassem os hábitos de saúde e o ambiente obesogênico da casa, todos continuariam acima do peso, perpetuando, dessa forma, a eterna busca pelo emagrecimento: de médico em médico, de nutricionista em nutricionista, de dieta em dieta, em uma busca sem fim e sem resultado.

Começaram, então, um planejamento alimentar familiar, no qual incluíram o filho em todas as etapas. Todo sábado ele vai à feira com o pai para comprar verduras, legumes e frutas, e de vez em quando ele vai com a mãe ao supermercado ajudar na escolha do que vão comer durante a semana. Ele também ajuda a mãe no preparo dos alimentos, sendo montar saladas uma de suas especialidades.

Combinaram também que, pelo menos uma vez por dia, fariam uma refeição juntos, o que acabou unindo muito mais a família e facilitando o processo de emagrecimento de todos. Começaram também um programa de atividades físicas, que aumentou de modo considerável a disposição de todo mundo.

Depois de quase um ano da mudança, os membros da família chegaram ao respectivo peso adequado – de acordo com altura, idade e sexo –, são muito mais felizes, muito mais unidos e têm muito mais disposição. Hoje em dia, na escola, o filho serve como exemplo para aquelas crianças que querem perder peso, mas, mais do que isso, que querem ter uma vida mais saudável.

CAPÍTULO 4
SEDENTARISMO ENTRE CRIANÇAS E ADOLESCENTES

O ser humano necessita de movimento para ser saudável, pois é um organismo ativo e o movimento é de fundamental importância para seu bem-estar. Assim, podemos afirmar que a atividade física é indispensável para o crescimento, o desenvolvimento e a sobrevivência de qualquer pessoa. É através do corpo que o ser humano se relaciona com o mundo.

O sedentarismo é a falta ou a diminuição da atividade física, associado à ausência da prática de esportes ou a qualquer outro exercício do cotidiano do indivíduo. Ele pode levar a doenças como hipertensão arterial, diabetes, obesidade, ansiedade, colesterol alto, infarto do miocárdio, além de ser considerado o principal fator de risco para a morte súbita.

Atendi no consultório uma mãe de 45 anos, com seu filho de 12, cuja queixa era de má postura e dores frequentes no pescoço e na coluna lombar, principalmente no fim da tarde e ao acordar.

O paciente era um rapaz de 1,70 metro (bem alto para a idade), pesava 50 quilos, estava pálido – pois praticamente não pegava sol – e com uma postura "horrorosa": sentado na cadeira do consultório com o bumbum quase na ponta do assento, parte da coluna apoiada no encosto, o pescoço e os ombros projetados para a frente e os olhos vidrados no iPhone. A mãe chamou a atenção dele diversas vezes para prestar atenção na consulta em respeito ao médico e para que ele entendesse como poderia resolver o problema.

Quando perguntei ao adolescente sobre a prática de atividades físicas, ele respondeu logo de prontidão: "Tio, não gosto de atividade física nenhuma, já tentei algumas vezes praticar alguns esportes, mas não levo jeito, sou bom mesmo em jogos on-line".

As dores que ele sentia, tanto na região do pescoço quanto na lombar, tinham íntima relação com os seguintes fatores:

1. **Má postura durante boa parte do dia**, o que sobrecarregava ossos, tendões e articulações, podendo ocasionar dores. O grande risco era que esse jovem, com o sistema musculoesquelético em formação, poderia adquirir posturas viciosas e desvios que seriam de difícil tratamento na fase adulta;
2. **Fraqueza muscular,** como ele não praticava nenhuma atividade física, a musculatura se tornou frágil, sendo frequentes as dores musculares.

Durante a infância e a adolescência, desenvolvemos uma poupança óssea e muscular para a vida adulta. O exercício físico nessa idade favorece a formação óssea, o que contribui para reduzir no futuro o risco de osteoporose e fraturas.

Podemos citar duas pesquisas sobre o assunto:

A primeira[23] reuniu dezenove estudos de pesquisadores que analisaram os efeitos de um tipo de exercício físico vigoroso, o pulo, sobre a massa óssea.

---

23 FUCHS, R. K.; BAUER, J. J.; SNOW, C. M. Jumping improves hip and lumbar spine bone mass in prepubescent children: a randomized controlled trial. **Journal of Bone and Mineral Research, Washington**, v. 16, n. 1, p. 148-156, jan. 2001. Disponível em: https://pubmed.ncbi.nlm.nih.gov/11149479. Acesso em: jun. 2021.

Em um grupo com 89 estudantes entre 6 e 13 anos, parte deles recebeu apenas exercícios de relaxamento, sem impacto, e outro recebeu exercícios vigorosos de cem saltos de 61 centímetros de altura, durante sete meses, três vezes por semana. Não houve diferença entre o crescimento dos dois grupos (peso, estatura e acúmulo de gordura); entretanto, a massa óssea do grupo dos puladores aumentou mais do que a do primeiro grupo entre 3,1% e 4,5%.

Outro estudo[24] com 98 crianças entre 6 e 12 anos, que jogavam ou não basquete, observou que os jogadores apresentavam maior crescimento das massas óssea e muscular em comparação com os que não jogavam basquete e não praticavam esportes.

A Organização Mundial da Saúde estabeleceu em 2011 o nível de atividade física ideal por faixas etárias:[25]

1. **Crianças e jovens devem acumular ao menos sessenta minutos diários de atividade física moderada a intensa;**
2. **Tempo superior a esse pode trazer mais benefícios;**
3. **O tempo deve ser em sua maioria de atividades aeróbicas; no entanto, três vezes na semana, exercícios de força podem ser incluídos.**

Atualmente nos deparamos com crianças e adolescentes sentados por horas em frente de um computador ou deitadas diante da televisão com vários controles remotos e uma mesa cheia de guloseimas ou fast-food. Com essa inatividade, o organismo que antes era acostumado a estar sempre

24 ZRIBI et *al*. Enhanced bone mass and physical fitness in prepubescent basketball players. **Journal of Clinical Densitometry**, [S.L.], v. 17, n. 1, p. 156-162, jan. 2014. Disponível em: https://www.sciencedirect.com/science/article/abs/pii/S1094695013000668. Acesso em: jun. 2021.

25 ORGANIZAÇÃO MUNDIAL DA SAÚDE. **WHO guidelines on physical activity and sedentary behaviour: at a glance**. Genebra: OMS, 2020. Disponível em: https://www.who.int/publications/i/item/9789240014886. Acesso em: jun. 2021.

ativo foi enfraquecendo, porque parou de precisar dos músculos para correr, do coração para bombear grandes quantidades de sangue, das articulações para amortecer grandes impactos (AZEVEDO, 2000).

A pessoa que pratica pouco ou nenhum exercício físico acaba gastando menos calorias nas atividades do dia a dia e muitas vezes acaba agravando o quadro ao aumentar a ingestão de alimentos, principalmente ricos em gorduras e açúcar. O hábito pode levar ao acúmulo de gorduras na região abdominal, além de favorecer o ganho de peso e o aumento da quantidade de colesterol e triglicerídeos circulantes na corrente sanguínea. Isso acontece porque nossos músculos são a nossa principal fábrica de energia que gasta as calorias que consumimos.

Um estilo de vida sedentário pode prejudicar a saúde de várias formas. Se não nos exercitamos, nossos músculos perdem força, resistência e se atrofiam, ficando mais propensos a doenças e lesões e produzindo menos energia. Se nossa massa muscular está reduzida ou pouco ativa, o organismo utiliza menos açúcares e gorduras. Por queimar menos calorias, ficamos propensos a ganhar peso, pois, quando nos exercitamos, colocamos nossos músculos em atividade.

Os nossos ossos, assim como os músculos, respondem diretamente aos exercícios físicos. Quando utilizados com frequência, eles armazenam minerais, principalmente cálcio e magnésio, levando ao fortalecimento dos ossos e aumentando as reservas minerais do organismo. Se a pessoa usa pouco o seu sistema musculoesquelético, os ossos ficam mais fracos, propensos a fraturas, e acabam eliminando do organismo os minerais que não estão sendo utilizados.

Sem atividade física, o metabolismo fica prejudicado, pois é mais difícil o organismo usar gorduras e açúcares, e isso faz com que o sistema imunológico comece a falhar. O exercício físico é responsável por alterações no sistema imunológico por gerar estresse físico, liberando hormônios (como cortisol e adrenalina) que promovem mudanças nas células desse sistema. Essas alterações estão ligadas ao tipo, à duração e à intensidade da atividade física. A melhor resposta do sistema imune é a uma atividade moderada, contribuindo para o controle da invasão de micro-organismos, como vírus e bactérias.

QUANDO NOS EXERCITAMOS ADEQUADAMENTE, E DE PREFERÊNCIA TODOS OS DIAS, ACELERAMOS A CIRCULAÇÃO SANGUÍNEA DE TODO O CORPO PARA AUMENTAR A CHEGADA DE NUTRIENTES A TODAS AS CÉLULAS, QUE SÃO ESTIMULADAS A FUNCIONAR PELA PRÁTICA DA ATIVIDADE FÍSICA.

Quando estamos sedentários, a circulação diminui a sua velocidade, ficando prejudicada, inclusive aumentando a incidência de varizes e tromboses.

Em uma vida sedentária, as inflamações tornam-se mais frequentes, visto que o exercício produz várias substâncias e fatores de crescimento que estimulam a regeneração e a renovação das células e dos tecidos. Além disso, o equilíbrio hormonal é comprometido porque, durante a prática de exercícios, produzimos vários hormônios, entre os quais a endorfina e a serotonina, que estão relacionadas ao bem-estar geral e à felicidade. Quando estamos sedentários durante muito tempo, a produção reduzida desses hormônios pode afetar de maneira negativa a nossa disposição no dia a dia.

No caso do paciente adolescente apresentado neste capítulo, fizemos questão de mostrar a ele todos os benefícios que a atividade física poderia trazer para a sua vida, principalmente quando associada a uma alimentação balanceada e horários mais regulares de sono.

Foi sugerido que ele começasse alguma atividade de que gostasse mais, pelo menos três vezes por semana – ele escolheu praticar judô.

Após dois anos de acompanhamento e ajustes do planejamento de saúde desse adolescente, ele já passou de 1,80 metro, está pesando 72 quilos, está na faixa amarela do judô, pratica atividades físicas praticamente todos os dias e relata que, após introduzir os exercícios na sua vida, está muito mais feliz e confiante.

É comprovado que uma criança ou um adolescente fisicamente ativo tem grandes chances de se tornar um adulto ativo.

PROMOVER A PRÁTICA REGULAR DE EXERCÍCIOS FÍSICOS NA INFÂNCIA E NA ADOLESCÊNCIA SIGNIFICA ESTABELECER UMA BASE SÓLIDA PARA A REDUÇÃO DO SEDENTARISMO NA IDADE ADULTA, CONTRIBUINDO, ASSIM, PARA UMA MELHOR SAÚDE E QUALIDADE DE VIDA.

PODEMOS AFIRMAR QUE A ATIVIDADE FÍSICA É INDISPENSÁVEL PARA O CRESCIMENTO, O DESENVOLVIMENTO E A SOBREVIVÊNCIA DE QUALQUER PESSOA.

CAPÍTULO 5
PROBLEMAS DE SONO ENTRE CRIANÇAS E ADOLESCENTES

ecebi no consultório um casal de 48 e 47 anos para avaliação da filha de 13 anos que estava com dores musculares em vários pontos do corpo, sobrepeso, tirando notas muito baixas na escola, além da falta de concentração e de sonolência diurna.

Quando perguntei sobre os hábitos de sono da família, os pais relataram que ambos usavam remédios para dormir e dormiam nos mais diversos horários, porém quase sempre por volta da meia-noite. Pude perceber que eles não tinham a menor noção do problema que estavam enfrentando.

A adolescente, durante a consulta, relatou que dormia muito tarde, por volta da uma da manhã, enquanto conversava com os amigos nas redes sociais. Dizia ter dificuldade para pegar no sono, pois ficava com "muitas coisas na cabeça". Acordava por volta das 5 horas, pois o transporte escolar a buscava no condomínio às 6 horas, para começar as aulas às 7 horas, que terminavam por volta das 13 horas. À tarde ela tinha aulas de inglês e de piano, além de reforço escolar por não estar acompanhando a turma adequadamente.

No exame físico pude detectar pontos dolorosos, que ela relatava como se fossem "músculos embolados" em vários pontos do corpo. Estava acima do peso, sedentária e bem ansiosa com todo esse quadro. Os pais já até haviam pensado na possibilidade de dar uns comprimidos do remédio controlado que a mãe usava para ver se a filha voltava a dormir direito.

Os distúrbios do sono se manifestam na dificuldade de adormecer e na de manter o sono (devido a despertares noturnos) e atingem em torno de 30% das crianças.[26] Esses distúrbios, quando crônicos, podem ter como consequências problemas no desenvolvimento cognitivo, na regulação do humor, na atenção, no comportamento e também na qualidade de vida, não somente da criança, mas de toda a família, segundo o livro *A Clinical Guide to Pediatric Sleep: Diagnosis and Management of Sleep Problems*, de Jodi A. Mindell e Judith A. Owens.[27]

TIPOS DE INSÔNIA DE ACORDO COM A FAIXA ETÁRIA

Estudos demonstram que o sono tem papel fundamental no desenvolvimento saudável das crianças. A insônia nessa faixa etária está associada a prognóstico desfavorável em termos de saúde mental, desempenho escolar e comportamento de risco.

Em crianças, a insônia pode ser definida em dois tipos principais:

26 Cerca de 30% das crianças apresentam a chamada insônia comportamental. **Serranossa**. 27 jul. 2018. Disponível em: https://serranossa.com.br/noticia/vida-estilo/81517/cerca-de-30-das-criancas-apresentam-a-chamada-insonia-comportamental. Acesso em: jun. 2021.

27 MINDEL, J. A.; OWENS, J. A. **A Clinical Guide to Pediatric Sleep: diagnosis and management of sleep problems**. Lippincott Williams & Wilkins, 2015.

1. DISTÚRBIO DE INÍCIO DO SONO POR ASSOCIAÇÕES INADEQUADAS

Nessa condição, a criança aprende a dormir sob uma condição específica que geralmente requer intervenção ou a presença dos pais. Após um despertar normal noturno, ela necessita da mesma intervenção para voltar a dormir. Apesar do número de despertares ser normal para a idade, o problema ocorre pela incapacidade de voltar a dormir sozinha, o que prolonga o período acordada.

2. DISTÚRBIO PELA FALTA DE ESTABELECIMENTO DE LIMITES

É típico da idade pré-escolar e escolar, caracterizado pela dificuldade dos pais de estabelecerem limites e regras para a hora de dormir ou de fazer com que essas sejam respeitadas. Como consequência, a criança se recusa a dormir ou a permanecer dormindo toda a noite. É comum a ocorrência de desculpas para não ir dormir (fome, sede, mais uma história...) e os pais terminarem por ceder.

Durante a adolescência, a insônia apresenta características relacionadas à mudança de hábitos sociais (tendência a dormir mais tarde) e a problemas de higiene do sono, que pode estar relacionada a três fatores:

1. INSÔNIA POR HIGIENE INADEQUADA

São considerados hábitos de higiene do sono inadequados: dormir após as 23 horas e acordar após as 8 horas; esquema irregular de sono entre dias de semana e fim de semana; uso de substâncias excitantes ou drogas (lícitas e ilícitas); excesso de cafeína no fim da tarde ou à noite; e uso de aparelhos eletrônicos (TV, computador, celular) no quarto antes de dormir.

Também influenciam na qualidade do sono a pressão social e familiar, mudanças hormonais e a necessidade do sentimento de pertencer a um grupo.

A insônia por higiene inadequada leva ao aumento do tempo para pegar no sono e à redução do tempo total de sono. Consequentemente, ocorrem sonolência excessiva diurna ou hiperatividade, problemas escolares e de relacionamento e inversão do ciclo sono-vigília (querendo ficar acordado à noite e dormir de dia).

2. INSÔNIA POR ATRASO DE FASE

Na adolescência, ocorre naturalmente um atraso do horário de dormir, acarretando um despertar tardio. Esse é um distúrbio de ritmo circadiano, que ocorre em adolescentes em função de alterações hormonais.

É causa frequente de insônia e pode ocorrer em outras idades, além da adolescência. Os conflitos ocorrem porque o horário de deitar não coincide com o horário de sono – o adolescente se recusa a ir dormir e tem dificuldade de acordar pela manhã para ir logo cedo para a escola.

Essas alterações podem ter como consequência sintomas de privação do sono, hiperatividade, agressividade e até problemas de aprendizagem em função da sonolência excessiva diurna. Após conseguirem dormir, o sono é tranquilo com estrutura e duração adequada (se não precisarem ser acordados de manhã). A tentativa de compensar a sonolência com sonecas durante o dia ou com horário livre de sono nos fins de semana leva a mais atraso de fase à noite.

3. INSÔNIA PSICOFISIOLÓGICA

É caracterizada por uma combinação entre associações previamente vividas e hipervigilância. A queixa consiste em uma preocupação exagerada com o dormir, ou conseguir dormir, e com os efeitos adversos do “não dormir” no dia seguinte, principalmente por ter que acordar cedo para ir à escola.

Segundo um estudo sobre insônia pediátrica,[28] esse tipo de situação ocorre por meio de uma combinação entre fatores de risco (genética, comorbidades psiquiátricas), fatores gatilhos (estresse) e outros fatores (má higiene do sono, uso de cafeína etc.).

ESTRATÉGIAS PARA TRATAMENTO DA INSÔNIA

As estratégias para tratamento da insônia envolvem três pontos: rotinas de higiene do sono, técnicas comportamentais e/ou tratamento farmacológico.

1. HIGIENE DO SONO

A higiene do sono se refere a um conjunto de medidas que favorecem a eliminação de hábitos inadequados que prejudicam o sono. Essas medidas devem ser postas em prática todos os dias. Porém, em torno de trinta a sessenta minutos antes do período que queremos adormecer, precisamos intensificar os cuidados. Utilize uma abordagem que favoreça o cuidado com aspectos relacionados ao lugar de dormir, como temperatura, luminosidade adequada, roupa de dormir, roupa de cama confortável, travesseiro e colchão, móveis e outros objetos relacionados ao sono.

---

28 OWENS, J. A.; MINDELL, J. A. **Pediatric Clinics of North America**, [S.L.], v. 58, n. 3, p. 555-569, jun. 2011. Disponível em: https://pubmed.ncbi.nlm.nih.gov/21600342. Acesso em: jun. 2021.

A EDUCAÇÃO DOS PAIS PARA O QUE SEJA UMA ADEQUADA HIGIENE DO SONO É O INÍCIO DO TRATAMENTO DE QUALQUER PROBLEMA DO SONO DE TODA A FAMÍLIA.

Precisamos lembrar que as medidas para toda família dormir melhor já se iniciam durante o dia e precisamos entender a importância da higiene do sono da mesma forma que a higiene do corpo. Quando você termina de fazer uma atividade física e chega em casa todo suado, consegue deitar e dormir normalmente? Quando chega de uma festa, onde comeu churrasco e doces, consegue chegar em casa e deitar sem escovar os dentes e passar fio dental? Então como queremos chegar com a mente extremamente agitada e "suja" de informações que nos preocupam e nos trazem ansiedade, e deitar e dormir como se nada tivesse acontecido?

Dicas para dormir melhor:

- **Cama só na hora de dormir;**
- **Horário regular para dormir e acordar;**
- **Copo de leite morno ou chá antes de deitar (como a vovó ensinou);**
- **Banho morno antes de ir para cama (além de ajudar na higiene corporal, ajuda a relaxar a musculatura e adequar a temperatura corporal para o sono);**
- **Escovar os dentes (também propicia uma sensação de limpeza agradável);**
- **Atividade física regular (embora os exercícios devam ser realizados de preferência pela manhã ou à tarde);**
- **Reduzir a luminosidade e os barulhos;**

- **Colchão e travesseiro adequados;**
- **Atitudes que favoreçam o relaxamento e a descontração (música, meditação, auto-hipnose etc.);**
- **Oração ou intenções de pensamentos positivos.**

Atenção aos inimigos do sono:

- **Refeição pesada antes de dormir;**
- **Televisão no quarto;**
- **Cama como extensão do escritório e da cozinha;**
- **Café à noite;**
- **Celular antes de dormir;**
- **Chocolate, chá preto, refrigerantes à base de cola e guaraná à noite;**
- **Bebida alcoólica antes de dormir;**
- **Cigarro;**
- **Atividade física antes de dormir (se exercitar até no máximo duas horas antes de deitar).**

2. TERAPIA COMPORTAMENTAL

O objetivo principal da abordagem comportamental é a ruptura das associações negativas que levam à insônia. Após o sexto mês de vida, é possível iniciar esse tipo de terapia. Diversos estudos demonstram a eficácia dessa abordagem na maioria dos casos e com claros benefícios ao funcionamento diurno da criança e da família em geral.

Existem técnicas comportamentais desenvolvidas ou adaptadas para lidar com crianças com insônia de origem comportamental. A seguir descreveremos resumidamente as mais usadas.

EXTINÇÃO: colocar a criança para dormir com segurança e ignorar o comportamento noturno (choro, birra, chamar os pais) até a próxima manhã. Esse procedimento também pode ser feito com um dos pais dentro do quarto, que não vai interagir até o horário predeterminado.

EXTINÇÃO GRADUAL: colocar a criança para dormir com segurança e ignorar o comportamento noturno (choro, birra, chamar os pais) por períodos de tempo mais espaçados durante a noite (iniciar com cinco minutos e ir aumentando o tempo de espera em cinco minutos a cada chamada). O objetivo dessa técnica é estimular a criança a aprender a se autoconsolar e retornar a dormir sozinha.

ROTINAS POSITIVAS: desenvolver uma série de atividades e rotinas calmas, que a criança aprecie, para o preparo da hora de dormir, tentando desvincular o ato de ir para a cama de uma rotina estressante. Também é possível estabelecer recompensas que serão dadas no dia seguinte para aqueles que conseguirem permanecer na cama até de manhã sem ir ao quarto dos pais ou chamá-los.

HORA DE DORMIR PLANEJADA: retirar a criança da cama se ela não conseguir dormir no tempo preestabelecido (quinze a trinta minutos) e deixá-la fazer alguma atividade tranquilizante até ficar com sono. Deve-se atrasar o horário de deitar, de modo que ela retorne para a cama com sono. Após estabelecer o horário em que a criança dorme espontaneamente, ir adiantando quinze a trinta minutos por dia a colocação na cama até atingir o horário adequado.

DESPERTAR PROGRAMADO: consiste nos pais acordarem a criança quinze a trinta minutos antes do horário em que ela geralmente tem o primeiro despertar noturno e, com o tempo, espaçar os episódios.

REESTRUTURAÇÃO COGNITIVA: usar técnicas cognitivo-comportamentais que ensinem a criança a controlar os pensamentos negativos sobre o sono e a hora de dormir. Por exemplo, em vez de pensar "esta noite não vou dormir", pensar "esta noite vou relaxar e descansar na minha cama".

TÉCNICAS DE RELAXAMENTO: meditação, relaxamento muscular, respirações profundas, visualizar imagens positivas.

RESTRIÇÃO DE SONO: restringir o tempo na cama de modo que a criança somente deite quando estiver quase dormindo. Isso auxilia a desvincular a ideia de permanecer no leito sem sono e na consolidação dele.

CONTROLE DE ESTÍMULOS: evitar fazer atividades que não são indutoras de sono quando a criança ou o adolescente já estiver na cama (TV, celulares, mídias sociais, preocupações etc.).

As técnicas de extinção e extinção gradual, em uso há várias décadas, ainda geram discussões e polêmica, além de dificuldade de adesão pelos pais, principalmente em países de cultura latina. Estudos[29] controlados demonstram que o uso de intervenções comportamentais em crianças com problemas de insônia melhora não somente o funcionamento diurno delas (sensação de bem-estar e redução de choro) mas também o humor, o sono e a satisfação matrimonial dos pais.

Estudos mais recentes apoiam e confirmam esses achados e demonstram que, na idade escolar, crianças com insônia que receberam intervenção comportamental têm melhor desempenho em habilidades sociais em

---

29 MINDELL et al. Behavioral Treatment of Bedtime Problems and Night Wakings in Infants and Young Children. **Sleep**, Darien, v. 29, n. 11, p. 1263-1276, 1 nov. 2006. Disponível em: https://academic.oup.com/sleep/article/29/10/1263/2709180. Acesso em: jun. 2021.

comparação com crianças que não receberam. Adicionalmente, outros estudos também relatam melhorias no sono e no humor dos pais.[30]

Na literatura médica não encontramos estudo que associasse o uso de intervenções comportamentais em crianças com insônia a efeitos colaterais prejudiciais na sua saúde mental ou na ligação afetiva com os pais. Ao contrário, encontramos diversos materiais que demonstram de modo consistente os benefícios dessas intervenções.

3. TERAPIA FARMACOLÓGICA

A indicação de terapia farmacológica na insônia da infância deve ocorrer quando os pais não conseguem se adaptar às terapias comportamentais por dificuldades objetivas ou se elas não apresentaram resultado adequado – e sempre sob orientação médica. A indicação deve ser feita antes que o problema se torne crônico, em associação com a terapia comportamental e por tempo limitado.

É importante ressaltar que não existem fármacos para insônia aprovados para uso na infância com tal indicação, o que já torna essa estratégia limitada. As indicações são empíricas, mais baseadas em experiência clínica do que em evidências. Na maioria das crianças é possível resolver os problemas de sono com abordagem de higiene e técnicas comportamentais.

---

30 NUNES, M. L.; BRUNI, O. Insônia na infância e adolescência: aspectos clínicos, diagnóstico e abordagem terapêutica. **Jornal de Pediatria**, Rio de Janeiro, v. 91, n. 6, p. 26-35, nov. 2015. Disponível em: https://www.scielo.br/j/jped/a/JjhmGp5V43b3vPBrVJRX6sp. Acesso em: jun. 2021.

CAFEÍNA: RISCOS E BENEFÍCIOS

A cafeína é utilizada como estimulante cerebral por atuar no córtex cerebral e nos centros medulares. Por isso ela tem um efeito acentuado sobre a função mental e comportamental, atuando no sistema nervoso autônomo e em seu mecanismo de ação, inibindo os receptores de adenosina.

A adenosina é um neurotransmissor que age no controle da nossa frequência cardíaca, da pressão sanguínea e da temperatura corporal. É ela que induz as sensações de sono e cansaço. Como a cafeína inibe sua ação, acaba provocando os efeitos contrários. É por isso que o consumo de cafeína está relacionado ao aumento da concentração, melhora do humor, controle de peso, entre outros. No entanto, pessoas que utilizam a substância regularmente acabam observando menos suas sensações e, com o passar do tempo, o organismo acaba precisando de doses maiores para ter o mesmo efeito.

A cafeína é a substância psicoativa mais consumida em todo o mundo, por todas as faixas etárias, sexos e localizações geográficas. É a droga lícita mais consumida, inclusive por nós e por nossos filhos, e, por isso, precisamos aprender e entender todos os riscos e benefícios que ela proporciona.

De acordo com estudo[31] englobando todos os tipos de fontes que possuem cafeína, a estimativa é que o consumo mundial seja na ordem de 120 mil toneladas por ano. Em produtos vegetais, ela é encontrada em mais de 63 tipos de plantas. A cafeína está presente em grandes doses nas sementes de café, folhas de chá verde, cacau, guaraná e erva-mate. A cafeína também é encontrada em refrigerantes à base de cola, energéticos e alguns

---

31 JAMES, J. E. **Caffeine and Health**. London: Academic Press, 1991. Disponível em: http://www.sidalc.net/cgi-bin/wxis.exe/?IsisScript=CAFE.xis&method=post&formato=2&cantidad=1&expresion=mfn=002770. Acesso em: jun. 2021.

medicamentos, como antigripais, analgésicos e inibidores de apetite. Entre as fontes naturais de cafeína, o café é a mais ingerida.

Uma xícara da bebida contém entre 60 mg e 150 mg de cafeína, dependendo do tipo. O menor valor (60 mg) corresponde a uma xícara de café solúvel instantâneo, enquanto um café coado pode chegar a 150 mg de cafeína por xícara.

O tempo de ação da cafeína no nosso organismo varia de duas até dez horas. Há grande variação individual e o organismo atinge a concentração máxima em média uma hora após a ingestão. O limite de segurança é, em média, de 400 mg ao dia (cerca de quatro xícaras de café) por indivíduos adultos com cerca de 70 kg. Já para mulheres grávidas ou lactantes, o valor é de 200 mg ao dia.

Uma dose de café é capaz de aumentar o funcionamento mental e sensorial em minutos, além de produzir excitação e euforia. A cafeína possui efeito ergogênico, ou seja, é um artifício que permite a intensificação da potência física, mental e do limite mecânico, retardando o início da fadiga.

O uso da cafeína é muito comum no meio esportivo. Nos últimos anos, pessoas que buscam acelerar a perda de peso e praticantes de provas de resistência têm feito uso da substância. Estudos apontam que a cafeína aumenta a força muscular e a resistência ao processo de fadiga.[32]

A cafeína acelera o metabolismo e tem ação termogênica e diurética. Além disso, tem efeito anorético (perda de apetite) no sistema nervoso, o que leva à redução de peso corporal. Por ser antagonista da adenosina no tecido adiposo, ela ajuda na mobilização de gorduras dos depósitos. Assim, atua com efeito emagrecedor.

32 KALMAR, J.M.; CAFARELLI, E. Effects of caffeine on neuromuscular function. **Journal of Applied Physiology**, Rockville, v. 87, n. 2, p. 801-808, 1 ago. 1999. Disponível em: https://pubmed.ncbi.nlm.nih.gov/10444642. Acesso em: jun. 2021.

Em indivíduos adultos, a cafeína parece proteger o cérebro de danos causados por estresse. Mas, na vida intrauterina, ela pode atrapalhar o desenvolvimento neural do feto e favorecer fatores de risco para doenças, como a epilepsia.

A cafeína não é considerada segura para crianças e adolescentes, por isso não se recomenda a ingestão de mais de 100 mg por dia dessa substância. Precisamos prestar muita atenção nessa recomendação.

Diz o ditado que a diferença entre veneno e remédio é a dose. Pessoas que ingerem mais de cinco xícaras de café por dia (mais de 500 mg ou 600 mg) podem sentir efeitos adversos. Entre eles, destacam-se: insônia, nervosismo, agitação, irritabilidade, dor de estômago pelo aumento do suco gástrico, batimentos cardíacos acelerados e tremores musculares. Pessoas que não costumam ingerir cafeína com frequência podem sentir os efeitos negativos mesmo em baixas doses.

Para alguns indivíduos, uma xícara de chá ou café pode ser o suficiente para uma noite com insônia ou agitação. A inibição dos receptores de adenosina não traz apenas efeitos positivos. A adenosina é muito importante para o sono profundo. Por esse motivo, a cafeína pode afetar negativamente o controle motor e a qualidade do sono, privando o consumidor dos benefícios do sono profundo.

No dia seguinte você estará cansado e precisará de mais cafeína para se manter disposto. Esse ciclo vicioso não é saudável para o corpo. O recomendado é manter o consumo de cafeína dentro das doses indicadas, mas pessoas que têm problemas relacionados ao sono devem evitar a ingestão de produtos à base da substância depois das 17 horas.

SONO E TRANSTORNOS EMOCIONAIS

Sabemos como o sono é importante para a manutenção da saúde: é à noite que fixamos e consolidamos memórias, quando hormônios importantes para a saúde são liberados. Um novo estudo, publicado no *Journal of Child Psychology and Psychiatry*,[33] mostrou que dormir bem tem papel fundamental na saúde mental de crianças e adolescentes. A pesquisa percebeu que os jovens que tinham depressão relataram má qualidade e quantidade de sono, enquanto aqueles com ansiedade reportaram apenas baixa qualidade de sono.

Podemos dizer que a relação entre má qualidade do sono e depressão é bidirecional, mas ao mesmo tempo complexa e com muitos outros fatores. Ou seja, pessoas que apresentam quadros de insônia podem vir a desenvolver quadros depressivos, e pessoas com depressão podem apresentar problemas de sono, e as causas para isso são diversas.

Também é possível afirmar que a insônia é o distúrbio do sono que mais se associa aos transtornos psiquiátricos, bem como apresenta uma relação mais evidente com a saúde mental. Outros distúrbios do sono, como apneia do sono, síndrome das pernas inquietas e narcolepsia, também se associam com quadros depressivos, mas as evidências sugerem que as pessoas com insônia tendem a ter maior chance de desenvolver depressão.

Pessoas que apresentam um quadro de insônia crônica têm quatro vezes mais chances de manifestar sintomas de depressão em comparação com pessoas que não têm queixas ou problemas de sono. Se pensarmos

33 ORCHARD et al. Self-reported sleep patterns and quality amongst adolescents: cross-sectional and prospective associations with anxiety and depression. **Journal of Child Psychology and Psychiatry**, [S.L.], v. 61, n. 10, p. 1126-1137, 17 jun. 2020.Disponível em: https://acamh.onlinelibrary.wiley.com/doi/full/10.1111/jcpp.13288. Acesso em: jun. 2021.

na insônia como antecedente aos episódios depressivos, pode-se dizer que pessoas nessas condições apresentarão mais sintomas como fadiga, irritabilidade, alterações de humor, mais problemas de saúde, como hipertensão e diabetes, bem como dificuldades de memória e concentração. A depressão muitas vezes pode vir como uma consequência da insônia, o que pode piorar ou até mesmo manter o distúrbio de sono. Pesquisas sugerem que o risco de desenvolver depressão é maior entre pessoas com insônia no início e na manutenção do sono. Cerca de 80% dos pacientes diagnosticados com depressão apresentam alteração nos padrões do sono segundo estudo publicado.[34]

Concluindo, a queixa de distúrbios do sono em crianças e adolescentes deve ser valorizada e adequadamente investigada pela família em conjunto com o pediatra. Deve-se levar em consideração a associação com diversas comorbidades, que também precisam ser diagnosticadas.

As causas principais de insônia e fatores desencadeantes variam de acordo com a idade e o nível de desenvolvimento. A abordagem terapêutica deve incluir medidas de higiene do sono e técnicas comportamentais e, em casos individualizados, tratamento farmacológico.

A adolescente relatada durante o início deste capítulo (que estava com problemas de sono) foi orientada sobre as medidas de higiene do sono e a importância de adaptar o cérebro às rotinas de dormir e acordar em horários preestabelecidos.

Atualmente ela consegue dormir em torno de seis a oito horas todas as noites, incluindo os fins de semana, está mantendo também uma rotina

34 CHELLAPPA, S. L.; ARAÚJO, J. F. Confiabilidade e reprodutibilidade do Questionário de Hábitos do Sono em pacientes depressivos ambulatoriais. **Archives Of Clinical Psychiatry**, São Paulo, v. 34, n. 5, p. 210-214, 2007. Disponível em: https://www.scielo.br/j/rpc/a/FP7mbCxwpKMq5MZzYYPbfPq/?lang=pt. Acesso em: jun. 2021.

de exercícios diários e uma alimentação equilibrada para sua idade, não tem mais nenhuma queixa de sintomas dolorosos, exceto quando fica um pouco estressada durante as semanas de prova, sem falar que seu rendimento escolar melhorou consideravelmente.

PRECISAMOS LEMBRAR QUE TODAS AS MEDIDAS JÁ SE INICIAM DURANTE O DIA E PRECISAMOS ENTENDER A IMPORTÂNCIA DA HIGIENE DO SONO DA MESMA FORMA QUE A HIGIENE DO CORPO.

CAPÍTULO 6

PROBLEMAS DE CONTROLE EMOCIONAL ENTRE CRIANÇAS E ADOLESCENTES

ntes de mais nada, é preciso ter em mente que uma criança ou adolescente emocionalmente saudável não é aquele que não chora, tampouco é quem não se frustra ou se irrita, mas aquele que aprimora constantemente a compreensão sobre as próprias emoções.

A habilidade de reconhecer os próprios sentimentos, compreender os dos outros e saber lidar com eles é o que a psicologia chama de inteligência emocional (QE), e ela é tão importante quanto o quociente de inteligência (QI) porque confere a serenidade e o discernimento necessários para que as funções cognitivas trabalhem plenamente. Ou seja, de nada adianta nosso filho ser um gênio se ele não souber lidar com emoções e críticas.

Recebi no meu consultório um casal de 39 e 43 anos para avaliação da filha de 11 anos, que estava com dores em vários pontos da coluna e nas articulações. Essas dores pioravam quando ela ficava "estressada", sobretudo pelas brigas frequentes dos pais e também pela pressão de tirar boas notas na escola.

No exame físico, além do sobrepeso da paciente e da má postura da coluna, pude detectar pontos dolorosos por contraturas musculares (nódulos na musculatura) principalmente no trapézio (a parte de trás do pescoço).

Praticamente todos os integrantes da família estavam com sobrepeso, eram sedentários na maior parte do tempo, faziam uma "caminhadinha de vez em quando" e não tinham bons hábitos de sono. Quando perguntei sobre os hábitos de saúde da família, pude perceber que os pais eram extremante ansiosos e que ficavam discutindo para saber qual dos dois tinha razão.

O desequilíbrio emocional é caracterizado pelas alterações de humor e pela facilidade de "sair do eixo" diante de acontecimentos negativos e imprevistos que acontecem no nosso dia a dia.

AS RESPONSABILIDADES, A SOBRECARGA ESCOLAR, OS RELACIONAMENTOS FAMILIARES, AS FRUSTRAÇÕES E A NECESSIDADE DE SE ADEQUAR AOS PADRÕES IMPOSTOS PELA SOCIEDADE MODERNA SÃO ALGUNS FATORES QUE PODEM CAUSAR SÉRIOS DESEQUILÍBRIOS, PRINCIPALMENTE EM CRIANÇAS E ADOLESCENTES QUE ESTÃO EM FASE DE AMADURECIMENTO EMOCIONAL.

Algumas pessoas são mais sensíveis e estão mais suscetíveis a esses acontecimentos, mas isso não quer dizer que não pode acontecer com qualquer um. As emoções estão presentes em todas as situações da vida e, quando estão em desarmonia, podem fazer com que o indivíduo se porte de maneira inadequada, tendo prejuízos na sua saúde.

O desequilíbrio emocional não é responsável apenas por causar sintomas mentais e sentimentais; ele pode causar diversos problemas físicos, como fortes dores musculares, dores de cabeça, gastrite, estresse e até mesmo depressão.

Precisamos prestar atenção em alguns sintomas que podem indicar algum grau de desequilíbrio emocional em uma pessoa da nossa família.

PROBLEMAS PARA SE CONCENTRAR: a pessoa vive em um "mundo paralelo", apresentando dificuldades para manter o foco. A falta de concentração para realizar tarefas rotineiras é uma das grandes causadoras da improdutividade e de problemas por déficit de atenção nas escolas.

IRRITABILIDADE: a pessoa não consegue lidar com as situações adversas da vida com serenidade. Por isso, ao lidar com circunstâncias que possam parecer normais aos olhos de qualquer outro, esse indivíduo fica irritado e exaltado.

DESCONTROLE: em conjunto com a irritabilidade vem o descontrole. Quem está emocionalmente desequilibrado deixa as emoções falarem mais alto do que a razão e tomam atitudes que não são adequadas, como arrumar briga no trânsito ou na escola.

INSÔNIA: mesmo que tente usar esse tempo acordado para fazer algo produtivo, a pessoa não consegue fazer nada por conta do cansaço que está sentindo, prejudicando muito seu rendimento no outro dia, seja no trabalho, seja na escola.

DORES: a dor de cabeça é o principal sintoma, aparecendo na maior parte dos diagnósticos de desequilíbrio emocional, mas com muita frequência o paciente também se queixa de dores na musculatura com formação de "nós" em vários músculos do corpo. A musculatura se contrai em resposta à liberação de um hormônio relacionado ao estresse, à luta e à fuga, comumente conhecido por adrenalina.

A SAÚDE MENTAL É MUITO IMPORTANTE PARA UMA VIDA COM QUALIDADE, ESPECIALMENTE NA JUVENTUDE, QUANDO O INDIVÍDUO ESTÁ SE DESENVOLVENDO FÍSICA E EMOCIONALMENTE.

Nesse sentido, a ansiedade na adolescência pode se transformar em um problema sério, pois prejudica o desenvolvimento e dificulta tarefas simples do cotidiano.

Segundo uma pesquisa desenvolvida pelo prof. Fernando Asbahr, da Faculdade de Medicina da Universidade de São Paulo, cerca de 10% das crianças e dos adolescentes já sofrem de ansiedade.[35] Esse é um número alto, que demonstra a relevância do assunto, pois, de acordo com a OMS, quase 10% da população brasileira sofre de algum tipo de transtorno de ansiedade.[36] Portanto, o acompanhamento familiar é importante para detectar e combater esse problema.

Os transtornos emocionais podem ser percebidos de diferentes formas, como a preocupação excessiva sobre possibilidades futuras, o medo de errar e de ser rejeitado e o temor pelo que não é controlável. A pessoa ansiosa convive com diversas emoções contrastantes e intensas, principalmente quando não sabe lidar com os sentimentos.

---

35 ASBAHR, F. R. Transtornos ansiosos na infância e adolescência: aspectos clínicos e neurobiológicos. **Jornal de Pediatria**, Rio de Janeiro, v. 80, n. 2, p. 28-34, abr. 2004. Disponível em: https://www.scielo.br/j/jped/a/pqwnF9Bd83TVpKVYWNDwY4C/?format=pdf&lang=pt. Acesso em: jun. 2021.

36 Os brasileiros são os mais ansiosos do mundo, classifica a OMS. **Veja**, 5 jun. 2019. Disponível em: https://veja.abril.com.br/saude/os-brasileiros-sao-os-mais-ansiosos-do-mundo-segundo-a-oms. Acesso em: jun. 2021.

Por isso, esses transtornos podem prejudicar o desenvolvimento durante a infância e a adolescência, sendo importante reconhecer os sintomas para buscar uma solução. Comece a prestar atenção em alguns sinais que podem indicar que seu filho esteja precisando de ajuda.

- **DIFICULDADE PARA PRESTAR ATENÇÃO NA AULA**: é um indicativo de que seu filho pode ter algum transtorno emocional. Isso faz com que a criança ou o adolescente não consiga se concentrar no presente, passando a pensar já no resultado das provas, por exemplo, o que não é saudável. Isso pode ser notado pela queda das notas e por uma irritação com assuntos relacionados ao estudo. A possibilidade de falhar prejudica a concentração e distrai o estudante, impedindo que ele compreenda os conteúdos passados durante as aulas.
- **PREOCUPAÇÕES EM EXCESSO**: a adolescência é uma fase complicada durante a qual é necessário conciliar transformações físicas e emocionais com a pressão dos estudos, o que pode prejudicar a autoconfiança do jovem. Desse modo, a cobrança excessiva passa a fazer parte do cotidiano, gerando dificuldade de concentração e uma autocrítica muito forte. Esses sentimentos e atitudes podem desencadear um transtorno de ansiedade generalizada, conhecido como TAG.
- **DESCONFORTO INTENSO EM SITUAÇÕES SOCIAIS**: essa é uma das demonstrações mais comuns durante a infância e a adolescência. Nela, o jovem demonstra desconforto, suor, gagueira e náusea quando necessita passar por um momento de interação social. A criança ou o adolescente costuma ficar isolado, tirar notas baixas e não demonstrar interesse pelas atividades escolares ou pelo futuro profissional.

É importante não confundir o desconforto social com a timidez, que também é muito comum nessa fase da vida.

INQUIETAÇÃO EMOCIONAL: esse é um problema detectado quando a criança ou o adolescente demonstra inquietação ao imaginar ou perceber que precisa se afastar de pessoas com quem divide forte conexão emocional. Desse modo, ele fica incomodado ao ficar longe da família, parentes próximos ou amigos mais chegados. Essa agitação prejudica a concentração e provoca irritação. O resultado desse comportamento é a dificuldade em participar de atividades simples de convivência, como uma reunião social ou mesmo uma mudança de escola.

AÇÕES REPETITIVAS E PENSAMENTOS INTRUSIVOS: ações como mudar constantemente um objeto de lugar e lavar as mãos em excesso devem ser interpretadas como um sinal de que a criança ou o adolescente pode estar desenvolvendo o chamado transtorno obsessivo-compulsivo (TOC). Os pensamentos intrusivos que atrapalham a rotina, impedindo a tomada de decisões simples, também devem ser analisados. Os dois casos dificultam a rotina da criança e do adolescente que têm mais dificuldade para realizar atividades cotidianas e se sentem mal por isso.

COMO PODEMOS AJUDAR NOSSOS FILHOS A SUPERAR ESSES PROBLEMAS?

Ao identificarmos algum desses sintomas, precisamos avaliar maneiras de abordar o problema de modo natural para manter a saúde emocional de nossos filhos. O apoio e a solidariedade nesse momento são importantes para que eles se abram e possibilitem a ajuda. Caso contrário, podem se fechar ainda mais.

DIÁLOGO: é preciso muito tato e carinho para saber lidar com o momento. Busque entender as causas do problema emocional que seu filho está atravessando e como isso pode estar afetando o cotidiano dele. Lembre-se de se mostrar disposto a conversar sobre medos e frustrações, escutando o que seu filho tem a dizer e mostrando que ele está em um ambiente seguro. Essa é uma maneira de contribuir para o desenvolvimento socioemocional, auxiliando a lidar com emoções e aspectos sociais. Depois disso, encontre atividades e costumes que ajudem a aliviar os sintomas e a melhorar o dia a dia dele.

ALIMENTAÇÃO E EXERCÍCIOS: a alimentação balanceada é fundamental para diminuir a probabilidade de transtornos alimentares ligados aos problemas emocionais típicos da infância e da adolescência. Os exercícios físicos também são bons aliados, pois liberam substâncias, como a endorfina, que auxiliam no combate à ansiedade. É possível ainda encontrar atividades que sejam prazerosas e possam ser feitas em família.

AJUDA PROFISSIONAL: quando você perceber que o caso é mais sério, é necessário buscar ajuda profissional. O tratamento deve ser feito por um especialista da área, como um psicólogo ou psiquiatra. Assim, torna-se possível definir qual será o método de atendimento. Lembre-se de que, quanto mais cedo o diagnóstico for feito e o tratamento for aplicado, maiores são as probabilidades de uma recuperação rápida. Durante a infância e a adolescência, nossos filhos estão em uma fase importante da vida, por isso resolver esses problemas contribui para que eles se desenvolvam de maneira integral.

O lar é o lugar onde acontecem as primeiras interações sociais, que são importantes para o desenvolvimento físico, cognitivo e emocional de uma pessoa.

POR ISSO, É FUNDAMENTAL QUE TODOS OS MEMBROS DA FAMÍLIA ESTEJAM ENVOLVIDOS E PREOCUPADOS EM CONVIVER DE MANEIRA AGRADÁVEL E SADIA.

O clima emocional de uma casa é uma responsabilidade compartilhada por toda a família. Ele não depende apenas dos pais ou das crianças, mas é a soma de todas as personalidades do lar. Porém, é evidente que os adultos têm mais condições de proporcionar um ambiente agradável.

A criação dos filhos engloba vários aspectos diferentes, como proporcionar um clima de afeto, respeito e apoio. Isso facilita o desenvolvimento das relações e fortalece as habilidades emocionais das crianças, que ficam mais receptivas aos ensinamentos dos responsáveis.

Veja como a saúde emocional familiar traz benefícios para o desenvolvimento dos nossos filhos:

MELHORA A AUTOCONFIANÇA DAS CRIANÇAS E DOS ADOLESCENTES: ao saberem que fazem parte de uma estrutura familiar firme, confiam mais nas suas características e podem ter menos dificuldades para alcançar equilíbrio nas emoções ainda quando pequenos.

PROPORCIONA O SENTIMENTO DE PERTENCIMENTO E ESTREITA OS VÍNCULOS: em uma sociedade que se depara constantemente com casos de depressão e solidão, pertencer a algum grupo é fundamental para manter o equilíbrio emocional. Quando o sentimento de pertencimento é trabalhado na família, melhor ainda. Assim, as crianças entendem que fazem parte de algo, se sentem aceitas e acolhidas, tendo um local de refúgio para os momentos de dificuldade. Dessa maneira, o vínculo familiar é fortalecido, diminuindo a distância entre os filhos e os demais membros.

ENSINA A LIDAR COM AS FRUSTRAÇÕES: a habilidade para entender que nem sempre todos os desejos se realizam, e perceber que é normal as coisas não saírem exatamente como foram planejadas, é importante para gerar mais controle e equilíbrio emocional. Lidar bem com as frustrações torna nossos filhos mais bem preparados para o futuro, para controlar os sentimentos e para manter a felicidade, mesmo em circunstâncias adversas. Essas características também serão importantes para o futuro profissional, pois são habilidades necessárias para lidar com os desafios do mercado de trabalho, principalmente em um mundo tão competitivo quanto o atual.

A família relatada durante o capítulo, que estava com problemas de relacionamento e de saúde, foi orientada sobre como a nossa parte emocional pode influenciar tanto positiva quanto negativamente todos os membros da família. Os pais conseguiram entender que, caso não houvesse um consenso que gerasse harmonia dentro de casa, dificilmente qualquer tipo de tratamento instituído para a filha teria efeito. Além disso, eles compreenderam a necessidade de adotar hábitos mais saudáveis para toda a família.

Eles emagreceram consideravelmente, estando todos dentro do peso preconizado para idade e o sexo de cada um, após começarem uma rotina diária de exercícios, e estabelecer uma alimentação mais saudável e equilibrada. Instituíram também a regra de dormir pelo menos seis a oito horas por noite e começaram a praticar meditação praticamente todos os dias. No começo, relataram certas dificuldades, como esperado, mas depois de um tempo todos aprenderam e estão muito felizes meditando.

A adolescente não tem mais nenhuma queixa de sintomas dolorosos, emagreceu, dorme bem, melhorou seu rendimento escolar, bem como toda sua relação com a família e com os amigos.

Com a correria do cotidiano e as múltiplas atividades, nem sempre é fácil dar atenção a todos os aspectos do desenvolvimento e das necessidades dos nossos filhos. Nesse contexto, muitas vezes, manter a saúde emocional na família torna-se um desafio. Porém, mesmo que não seja uma tarefa fácil, o esforço costuma valer a pena.

O **CLIMA EMOCIONAL** DE UMA CASA É UMA **RESPONSABILIDADE COMPARTILHADA** POR TODA A FAMÍLIA. ELE NÃO DEPENDE APENAS DOS PAIS OU DAS CRIANÇAS, MAS É A SOMA DE TODAS AS PERSONALIDADES DO LAR.

CAPÍTULO 7

OS ELOS DA FAMÍLIA SAUDÁVEL

Um pai empurrava um carrinho de supermercado com o filho sentado nele. O garoto, que aparentava ter 6 anos, esperneava, gritava e chorava. Os outros clientes desviavam dos dois, pois a criança tirava os produtos da prateleira e os jogava no chão. O pai parecia muito calmo, continuando seu percurso de compras pelos corredores do supermercado, e nisso ele falava em voz mansa e tranquila: "Tudo bem, Júnior, mantenha a calma. É isso aí, garoto, está tudo bem".

Uma mãe ficou impressionada com a postura solícita e calma do pai e disse a ele: "Você sabe realmente como falar com uma criança agitada de maneira tranquila e serena". E, então, curvando-se em direção ao garoto, a mulher perguntou: "Qual é o problema, Júnior?". E o pai respondeu: "Ah, não, o nome dele é João. Júnior sou eu".

Apesar de não recomendarmos ignorar a conduta errada dos filhos, Júnior conhece a luta que existe ao tentarmos ser os pais que desejamos ser. E, como a maioria de tantas outras pessoas, ele se esforça muito para conseguir. Um dos grandes problemas é que, como Júnior, fingimos não ver, ou muitas vezes não conseguimos identificar, quais são os hábitos pouco saudáveis que, no futuro, poderão trazer terríveis consequências para a saúde e para a vida de nossos filhos.

Agora vamos apresentar um guia simples que o ajudará a identificar os elos de saúde da sua família, mostrando onde podem residir os verdadeiros problemas, e apresentando os quatro elos dos quais você deverá cuidar para implementar hábitos saudáveis dentro de casa.

Em alguns pontos, é possível que você precise de minutos ou horas para resolver; em outros, precisará de uma reestruturação mais profunda para fazer com que funcione. O importante é explorar cada um dos pontos e utilizar as próximas páginas como guia para dar o primeiro passo. Vamos lá!

ALIMENTAÇÃO

O primeiro elo que precisamos analisar é o da alimentação. Segundo o último Censo Nacional de Saúde do Ministério da Saúde, realizado em 2016, praticamente 56% de todos os adultos brasileiros encontram-se acima do peso ou obesos e 33% das crianças e adolescentes também têm o mesmo problema.[37]

Precisamos analisar com cuidado se a nossa família também se enquadra nessas estatísticas.

Devemos lembrar que a OMS assinala que sobrepeso e obesidade constituem maiores fatores de risco para muitas doenças crônicas, tais como diabetes, doenças cardiovasculares e câncer. É problema de caráter pandêmico.

37 **INSTITUTO BRASILEIRO DE GEOGRAFIA E ESTATÍSTICA.** Síntese de indicadores sociais: uma análise das condições de vida da população brasileira. Rio de Janeiro: IBGE, 2016.

Um estudo[38] mostrou que, quando um dos cônjuges está acima do peso, a chance do parceiro também ter sobrepeso é de 50%. Quando ambos os pais estão acima do peso ideal, 75% das vezes os filhos também se encontram na mesma situação. Quando os pais e os filhos estão acima do peso, até o animal de estimação da família apresenta sobrepeso ou é obeso. O ambiente obesogênico é contagioso e precisa ser encarado com a participação de toda a família para melhorar a saúde de todos.

Esse mesmo estudo indicou que, segundo dados da Organização Mundial da Saúde de 2005, 1,6 bilhão de pessoas acima de 12 anos apresentavam sobrepeso e 400 milhões estavam obesas. As projeções para 2021 são de aproximadamente 3 bilhões de pessoas acima do peso e mais de 700 milhões obesas.

A obesidade tem causas multifatoriais e resulta da interação de fatores genéticos, metabólicos, sociais, comportamentais e culturais. Na maioria dos casos, associa-se ao abuso da ingestão calórica do que comemos e ao sedentarismo, em que o excesso de calorias se armazena como tecido gorduroso. Também pode estar associada a algumas doenças endócrinas, como o hipotireoidismo e a problemas no hipotálamo, mas essas causas representam menos de 1% dos casos de excesso de peso.

Outros fatores associados ao ganho excessivo de peso são as mudanças em alguns momentos da vida (como casamento, viuvez, separação), determinadas situações de violência, fatores psicológicos (como o estresse, a ansiedade, a depressão e a compulsão alimentar), alguns tratamentos medicamentosos (psicofármacos e corticoides), a suspensão do hábito de fumar, o consumo excessivo de álcool e a redução drástica de atividade física.

---

38 TAVARES, T. B.; NUNES, S. M.; SANTOS, M. O. Obesidade e qualidade de vida: revisão da literatura. **Revista Médica de Minas Gerais**, Belo Horizonte, v. 20, n. 3, p. 359-366, jul/set. 2010. Disponível em: http://rmmg.org/artigo/detalhes/371. Acesso em: jun. 2021.

ATIVIDADE FÍSICA

O segundo elo que precisamos analisar é o da atividade física. Segundo o último Censo Nacional de Saúde do Ministério da Saúde, realizado em 2016, praticamente 45,9% de todos os adultos brasileiros encontram-se sedentários e, pasmem, 85% das crianças e dos adolescentes também têm o mesmo problema.[39]

Precisamos analisar se a nossa família também se encontra sedentária.

Devemos lembrar que o sedentarismo é uma das principais causas da epidemia da obesidade no mundo. Um estudo recente realizado com crianças e adolescentes indicou que as que praticam pelo menos dez minutos de atividades físicas por dia têm menor propensão a desenvolver diabetes e doenças coronarianas quando chegam à idade adulta.[40]

A INTIMIDADE COM A ATIVIDADE FÍSICA DURANTE A INFÂNCIA E A ADOLESCÊNCIA AUMENTA A PROPENSÃO DE ESSES JOVENS SE MANTEREM EM MOVIMENTO DURANTE A VIDA,

além de viverem com mais autonomia, mais qualidade de vida e com menos dependência de tratamentos de saúde e de medicamentos.

A saúde é percebida como um dos aspectos primordiais para a qualidade de vida, pois de nada adianta moradia digna, acesso à cultura, educação, emprego, entre outros, se formos ao longo do tempo adquirindo problemas

39 INSTITUTO BRASILEIRO DE GEOGRAFIA E ESTATÍSTICA. Síntese de indicadores sociais: uma análise das condições de vida da população brasileira. Rio de Janeiro: IBGE, 2016.

40 BRASIL. Ministério da Saúde. Secretária de Atenção à Saúde Primária. Saúde da criança: crescimento e desenvolvimento. 1ed. Brasília: Ministério da Saúde, 2014.

de saúde por causa de um estilo de vida "errado", com práticas alimentares inadequadas e sedentarismo.

Sabemos que o sedentarismo hoje é considerado um problema de saúde pública e causador de diversas doenças. De acordo com Victor Matsudo,[41] "as consequências da epidemia de sedentarismo para a saúde física incluem, entre as doenças mais conhecidas, o diabetes, a hipertensão, a hipercolesterolemia, a obesidade, diversas formas de câncer e a osteoporose. No entanto, o impacto para saúde mental é pelo menos igualmente devastador, compreendendo: diminuição da autoestima, da autoimagem, do bem-estar, da sociabilidade; aumento de ansiedade, estresse e depressão, e também do risco para mal de Alzheimer e de Parkinson, de acordo com estudos mais recentes, e até prejuízo na cognição".

O corpo humano foi feito para o exercício. Quando nos tornamos inativos, as articulações incham, os músculos enfraquecem, o aumento de gordura afeta o sistema cardiovascular, o coração perde a força e, consequentemente, ficamos mais expostos a doenças.[42]

SONO

O terceiro elo que precisamos analisar é o do sono. Segundo o último Censo Nacional de Saúde do Ministério da Saúde, realizado em 2016, praticamente 70% de todos os adultos brasileiros apresentam problemas relacionados

---

41 MATSUDO, V. K. R. Sedentarismo: como diagnosticar e combater a epidemia. Diagn Tratamento, São Paulo, v. 10, n. 2, p. 109-110, jun. 2006. Disponível em: https://drive.google.com/file/d/1O4Uu83F-gv8vkTcXmUux8M_92eiZSW_x/view. Acesso em: jun. 2021.

42 ALLSEN, P.; HARRISON, J.; VANCE, B. **Exercício e qualidade de vida: uma abordagem personalizada**. 6. ed. São Paulo: Manole, 2001.

ao sono e quase 10% a 30% das crianças e adolescentes também têm o mesmo problema.[43]

Precisamos analisar adequadamente os horários de sono da nossa família e identificar se algum membro está apresentando qualquer problema relacionado a esse elo.

Devemos lembrar que o sono é o elo perdido entre a saúde e a doença. O sono exerce um papel fundamental no crescimento e no desenvolvimento infantil e adolescente. Durante a infância e a adolescência, começam a ocorrer mudanças marcantes nas características do sono, e sua maturação segue ocorrendo com o passar da idade.

A duração do sono varia de acordo com cada faixa etária: no recém-nascido, gira em torno de catorze a dezessete horas; depois reduz-se para onze a catorze horas entre o primeiro e o segundo ano de vida; posteriormente diminui para dez a treze horas entre crianças na idade pré-escolar; então mais um pouco para nove a onze horas entre os anos escolares; e finalmente chega a um padrão semelhante ao da vida adulta, por volta de oito a dez horas entre adolescentes e jovens.

Os distúrbios do sono podem elevar o risco do aparecimento de várias alterações metabólicas e comportamentais, podendo levar a déficit de atenção, distúrbios do humor, ganho de peso corporal e até mesmo alterações do desenvolvimento neuropsicomotor.[44]

A insônia é o problema do sono mais frequente na faixa etária pediátrica, acometendo até 30% de crianças e adolescentes.

---

43 **INSTITUTO BRASILEIRO DE GEOGRAFIA E ESTATÍSTICA**. Síntese de indicadores sociais: uma análise das condições de vida da população brasileira. Rio de Janeiro: IBGE, 2016.

44 FIELD, T. Infant sleep problems and interventions: a review. **Infant Behavior And Development**, [S.L.], v. 47, p. 40-53, maio 2017. Disponível em: https://pubmed.ncbi.nlm.nih.gov/28334578/. Acesso em: jul. 2021.

A insônia é definida como a dificuldade de começar ou manter o sono, porém também abrange o despertar mais cedo do que o desejado e a resistência para o início do sono ou dificuldade em começar a dormir sem a intervenção dos pais.

Para o diagnóstico de insônia, é necessário haver consequências durante o dia além da dificuldade em dormir à noite, sob a forma de sonolência ou fadiga, alterações do desempenho e desenvolvimento escolar, da capacidade de raciocínio, alterações do humor ou do comportamento da criança ou do adolescente.

Essas consequências podem ser descritas tanto para a criança quanto para os pais. A insônia é considerada crônica caso esteja presente pelo menos três dias por semana durante, no mínimo, três meses.[45]

As causas mais frequentes de insônia variam de acordo com as faixas etárias. Enquanto no lactente o refluxo gastresofágico, a ingestão excessiva de líquidos e associações inadequadas para o começo do sono estão entre as principais causas, entre os adolescentes podemos citar o atraso fisiológico da fase de sono, as comorbidades de doenças psiquiátricas e a pressão familiar.[46]

O distúrbio de associação de início do período do sono é um dos principais tipos de insônia comportamental e um dos distúrbios mais frequentes tanto entre lactentes quanto entre pré-escolares. Nesse distúrbio, a criança precisa, para adormecer, que determinadas condições externas estejam presentes. Na maioria das vezes, existe a necessidade de intervenção dos

---

45 MASKI, K.; OWENS, J. A. Insomnia, parasomnias, and narcolepsy in children: clinical features, diagnosis, and management. **The Lancet Neurology**, [S.L.], v. 15, n. 11, p. 1170-1181, out. 2016.

46 NUNES, M. L.; BRUNI, O. Insomnia in childhood and adolescence: clinical aspects, diagnosis, and therapeutic approach. **Jornal de Pediatria**, Rio de Janeiro, v. 91, n. 6, p. 26-35, nov. 2015. Disponível em: https://www.sciencedirect.com/science/article/pii/S0021755715001308?via%3Dihub. Acesso em: jul. 2021.

pais, como embalar ou amamentar a criança. Normalmente ao fim de cada ciclo do sono, quando ocorre um despertar fisiológico, existe a necessidade da repetição da intervenção dos pais para que o sono seja retomado.

Um denominador comum no manejo dos problemas relacionados ao sono são as estratégias comportamentais e as rotinas de higiene do sono. Elas podem ser suficientes em vários diagnósticos e, mesmo naqueles em que outros tipos de abordagem são preconizados, atuam como fatores adjuvantes muito importantes.

As medidas de higiene do sono devem incluir: horário regular de início de sono de acordo com a faixa etária e restrição de alimentos estimulantes, como refrigerantes à base de cola e chocolates, especialmente à noite.

ROTINAS POSITIVAS, QUE CONSISTEM EM ATIVIDADES RELAXANTES E PRAZEROSAS ANTES DO HORÁRIO DE DORMIR (LEITURA, MÚSICA TRANQUILA), DEVEM SER AMPLAMENTE ADOTADAS.

O local de começo do sono deve ser a própria cama, sem necessidade de intervenção dos pais, de modo a evitar associações para começar a dormir. Nas crianças com insônia relacionada a associações inadequadas, as técnicas de extinção e também de checagem mínima com extinção sistemática podem ser colocadas em prática.

Entre as abordagens preconizadas, a de extinção gradativa consiste em ignorar as solicitações noturnas, como choro ou ficar chamando os pais, por espaços de tempo gradativamente maiores, iniciando com curtos períodos de um minuto ou menos, conforme tolerância e julgamento dos próprios pais.

A checagem mínima com extinção sistemática consiste em aplicar a técnica de extinção, mas com a possibilidade de checar as condições da criança periodicamente (até a cada cinco a dez minutos) e, quando necessário, confortá-la rapidamente.[47]

Para ambas as técnicas é necessário checar e confirmar a segurança do ambiente no momento em que a criança é colocada para dormir.

Para crianças que costumam despertar durante a noite, a técnica do despertar programado pode ser utilizada como um bom recurso. Ela consiste em acordar a criança em torno de quinze minutos antes do horário de despertar espontâneo e espaçar esses episódios gradativamente. O despertar programado também pode ser usado nos casos de enurese noturna ("fazer xixi na cama"), antes do horário habitual de ocorrência da enurese.

Os aparelhos eletrônicos (celulares, tablets etc.) também devem ser evitados por pelo menos uma hora antes do horário de dormir e o quarto deve ter a temperatura adequada e estar sem luminosidade para iniciar o sono.

O remodelamento do sono das crianças na faixa etária em que ainda se espera um período para dormir durante o dia permite que o sono noturno não seja prejudicado pelas sonecas diurnas. Consiste em organizar os cochilos para que ocorram até quatro horas antes do horário do sono noturno, entre aquelas crianças que realizam duas sonecas por dia, e até seis horas antes para as que realizam uma.

No manejo do atraso de fase que acontece nos adolescentes, uma estratégia interessante é atrasar o horário de ir para cama para garantir que, quando deitados, peguem no sono rapidamente. Quando o hábito de adormecer rapidamente

---

47 HALAL, C. S. E.; NUNES, M. L. Education in children's sleep hygiene: which approaches are effective? A systematic review. **Jornal de Pediatria**, Rio de Janeiro, v. 90, n. 5, p. 449-456, set. 2014. Disponível em: https://www.scielo.br/j/jped/a/LRG99yGHyTr6gqvJwkD4Nwy/?lang=en. Acesso em: jul. 2021.

estiver consolidado, inicia-se a antecipação do horário de dormir em torno de quinze a trinta minutos em noites sucessivas, até atingir a hora desejada.

Os pais têm um papel fundamental na orientação sobre hábitos de sono, assim como no reconhecimento, suposição e busca de ajuda médica para tratar os possíveis distúrbios.

CONTROLE EMOCIONAL

O quarto e último elo da saúde que precisamos analisar é o do controle emocional. Segundo o último Censo Nacional de Saúde do Ministério da Saúde, realizado em 2016, praticamente 83% de todos os adultos brasileiros apresentam problemas relacionados à ansiedade e 20% têm problemas de depressão; ou seja, precisamos prestar atenção nesses distúrbios que estão ocorrendo cada vez mais cedo. A ansiedade vem acometendo quase 80% das crianças e dos adolescentes do Brasil e a depressão, em torno de 15%.[48]

Precisamos parar um pouco a correria do dia a dia e prestar atenção para avaliar adequadamente a parte do controle emocional das pessoas da nossa família, tendo uma conversa olho no olho, frente a frente, identificando se alguém está apresentando algum problema relacionado a esse elo e buscar ajuda especializada quando necessário para tratar os possíveis distúrbios.

Existem vários fatores do contexto familiar que podem exercer influência no desenvolvimento de uma criança, adolescente ou jovem, entre os quais o

48 INSTITUTO BRASILEIRO DE GEOGRAFIA E ESTATÍSTICA. Síntese de indicadores sociais: uma análise das condições de vida da população brasileira. Rio de Janeiro: IBGE, 2016

clima familiar, que se refere às características das relações entre os familiares e é composto de quatro principais dimensões: conflito, hierarquia (polo negativo), apoio e coesão (polo positivo).

Conflito se refere à relação agressiva, crítica e muitas vezes conflituosa entre os membros da família. Hierarquia é a relação de poder e de controle nas relações entre as diferentes gerações dentro da própria família. Apoio refere-se à existência de um suporte material e emocional entre as pessoas da própria família. Por fim, coesão se relaciona ao vínculo emocional entre os membros da família.

O clima familiar positivo está associado a vários tipos de desfecho desenvolvimentais, como melhor desenvoltura nas habilidades sociais e também acadêmicas, menor probabilidade de ocorrência de abuso sexual, de vitimização, melhor qualidade das relações entre as pessoas e menores níveis de problemas emocionais e de comportamento.

Um clima familiar positivo tem vários fatores benéficos, podendo resultar em melhora das habilidades sociais, maior empatia, melhor desempenho acadêmico, entre outros. Já um clima familiar negativo pode ocasionar importantes efeitos de disfunção pessoal, como a ocorrência de problemas emocionais e comportamentais e outros padrões de interação social disruptivos.

Na vida em família iniciamos a aprendizagem emocional. É nesse caldeirão íntimo que aprendemos como nos sentir em relação a nós mesmos e como os outros vão reagir aos nossos sentimentos.

Nele, aprendemos como avaliar nossos sentimentos e as respostas a eles. Também descobrimos como interpretar e manifestar nossas expectativas e temores. Tomamos conhecimentos de tudo isso através do que nossos pais fazem e nos dizem. Porém, isso também ocorre ao ver o modelo que oferecem quando lidam, individualmente, com as próprias emoções na vida conjugal. Alguns pais são professores emocionais talentosos. Outros são péssimos.

Está comprovado que a forma como os pais tratam os filhos tem consequências profundas e duradouras para a vida afetiva da criança. Recentemente, ficou claro quanto ter pais emocionalmente inteligentes é benéfico para o filho. A maneira como o casal lida com os seus sentimentos, além do trato direto com a criança, passa poderosas lições para os filhos. Os pequenos são aprendizes inteligentes, sintonizados com os mais sutis intercâmbios emocionais da família.

Agora que você já conhece os problemas de saúde que podem, silenciosamente, estar colocando em risco a qualidade de vida e o futuro da sua família, faça uma análise direcionada, identificando fraquezas e ameaças.

Pense em relação ao peso de sua família. Estão no peso normal ou acima? A alimentação está adequada ou precisa de ajustes?

____

____

____

____

____

Os adultos da casa estão praticando atividade física pelo menos três vezes por semana ou 7 mil passos por dia? As crianças e os adolescentes a praticam pelo menos cinco vezes por semana ou 5 mil passos por dia?

____

____

Algum membro da família possui dificuldade para pegar no sono ou acorda durante a noite tendo dificuldades para voltar a dormir? Alguém acorda cedo demais e fica com sonolência durante o dia? Qual é a média de horas dormidas?

Algum membro da família possui sintoma de ansiedade ou de depressão? Ele consegue perceber a felicidade na sua vida todos os dias?

Se suas respostas não lhe agradarem, é hora de agir! O ser humano sempre aspirou a uma vida longa, com boa saúde e autonomia, e um dos aspectos relevantes para essa condição são mudanças positivas no estilo de vida.

MAIS DO QUE NUNCA NOSSAS ESCOLHAS TÊM AFETADO A MANEIRA COMO VIVEMOS E O TEMPO QUE VIVEMOS.

Uma vida saudável se inicia na infância, com boa alimentação, atividades físicas variadas e regulares, cuidados médicos e um ambiente familiar estimulante que moldará um futuro adulto saudável e feliz.

ESTÁ COMPROVADO QUE A FORMA COMO OS PAIS TRATAM OS FILHOS TEM CONSEQUÊNCIAS PROFUNDAS E DURADOURAS PARA A VIDA AFETIVA DA CRIANÇA.

CAPÍTULO 8
A GRANDE SOLUÇÃO PARA SUA FAMÍLIA TER SAÚDE

Assim como a maioria dos pais, entendemos a dificuldade que é trazer hábitos saudáveis para dentro de casa, e agora começaremos a falar sobre as possíveis soluções para quem está precisando. Mas a mensagem principal que desejamos transmitir é que a saúde do seu filho depende de quão saudável você é como pai ou mãe. São os seus hábitos que vão moldar a saúde dos seus filhos. A saúde deles não está entregue ao destino, à sorte ou ao acaso. Enquanto muitas coisas na vida do seu filho são imprevisíveis e fogem ao seu controle, você pode garantir que ele tenha um pai e/ou uma mãe com hábitos saudáveis.

Talvez você esteja se perguntando: “Por que os meus hábitos de saúde são tão importantes?”. Vamos deixar bem claro: suas características importam porque seu filho o observa bem mais de perto do que você imagina. Ser pai ou mãe não é só fazer coisas de pai ou de mãe, é o chamado mais importante que nós teremos na vida, mas também será a empreitada mais recompensadora.

Quando nossas filhas estavam com 8 e 9 anos, começaram a ter escolhas alimentares pessoais, muitas delas influenciadas pela própria mídia ou por amigos, quando descobriram os encantos do mundo on-line e, dessa forma, passaram a deixar as brincadeiras e os exercícios um pouco de lado. Elas queriam dormir mais tarde para poder interagir por mais tempo com o mundo digital e começaram a demonstrar certa ansiedade e até medos que para nós não eram muito comuns para essa idade.

Isso nos fez acender uma luz vermelha de alerta. Nós precisávamos fazer alguma coisa em relação à saúde delas, embora não existisse um método que contemplasse todos esses fatores em uma só ferramenta.

Então, diante desse desafio, começamos a estudar cada vez mais para desenvolver um método que aplicamos nas nossas filhas e na nossa família. Ele consiste na prática diária de atividades físicas, uma alimentação saudável e equilibrada baseada na taxa metabólica basal individual de cada integrante da nossa família, horários regulares para dormir e acordar, incluindo o "sequestro" dos telefones a partir das 22 horas. Também ensinamos a elas a praticar diariamente a atenção plena e a validação dos pensamentos e também a meditar como forma de melhorar o controle emocional.

Isso vem dando muito certo! Hoje elas são duas adolescentes com 15 e 14 anos, que inclusive ensinam para muitos colegas o método de saúde que implementamos na nossa casa.

Nosso método foi desenvolvido para crianças e adolescentes, e é uma abordagem que visa ajudar todo mundo a adotar e manter hábitos saudáveis que afetem positivamente a sua saúde e também a sua qualidade de vida. Ele apresenta um conteúdo extremamente simples e didático que pretende ampliar conhecimentos, habilidades e atitudes centradas na cultura da saúde.

Nosso grande objetivo é que, ao conhecer esse método, o leitor possa:

- **compreender os efeitos das escolhas de estilo de vida e seu impacto na sua saúde e na da sua família, especialmente no**

desenvolvimento das doenças, e como a mudança de estilo de vida pode prevenir, tratar ou até reverter doenças;

- **desenvolver técnicas de abordagem para auxiliar a si, seus familiares e amigos a transformar seus hábitos de vida;**
- **dominar conhecimentos científicos de qualidade, baseados em evidências, sobre alimentação saudável, prática regular de atividades físicas, administração do estresse e da ansiedade, e sobre a importância da saúde do sono (qualidade e quantidade).**

Para isso, usamos os quatro elos da saúde apresentados no capítulo anterior (alimentação, atividade física, sono e controle emocional).

A importância de um planejamento de hábitos saudáveis para toda a família vai proporcionar a previsibilidade das tarefas e acontecimentos ao longo do dia, e isso deixa nossos filhos mais seguros e menos ansiosos. No entanto,

ESTABELECER UMA ROTINA NÃO SIGNIFICA SOBRECARREGÁ-LA COM ATIVIDADES, UMA VEZ QUE O ÓCIO E O TÉDIO TAMBÉM SÃO IMPORTANTES.

Quando não existe horário definido para acordar, comer, dormir, ir à escola e brincar, a criança ou o adolescente pode apresentar quadros de ansiedade e insegurança. Isso porque a infância e a adolescência são fases com muitas transformações e nossos filhos por si só já se sentem confusos internamente.

Estimular os hábitos saudáveis desde cedo é um dos principais desejos de todos os pais. O problema é que nem sempre esses estímulos são fáceis. A correria diária e a praticidade dos alimentos industrializados são alguns dos obstáculos para colocar em prática esse desejo. No entanto, precisamos entender que todo o nosso esforço vale a pena. Uma criança e um adolescente que se alimentam bem, se exercitam e têm uma rotina bem estruturada não terão benefícios apenas físicos ao longo da vida; eles também crescerão com mais confiança, autonomia e vontade de explorar o mundo.

SER PAI OU MÃE
NÃO É SÓ FAZER COISAS
DE PAI OU DE MÃE,
É O CHAMADO MAIS
IMPORTANTE QUE
NÓS TEREMOS NA VIDA,
MAS TAMBÉM SERÁ
A EMPREITADA MAIS
RECOMPENSADORA.

CAPÍTULO 9
ATIVIDADE FÍSICA EM FAMÍLIA

Uma das coisas mais importantes na vida é a nossa saúde, e poucas coisas são tão essenciais para a saúde e o bem-estar como a atividade física.

Antigamente, as crianças brincavam na rua; nós mesmos brincávamos de pique-esconde, jogávamos bola, bolinhas de gude e queimada na rua, soltávamos pipa. A maioria dos adultos trabalhava na área rural, ou com atividades que exigiam esforços da musculatura. Meu avô, por exemplo, logo de manhã cedo selava o cavalo, juntava as vacas, tirava leite, fazia queijo, rachava lenha, regava as plantas, trabalhava no plantio e na colheita do café. Com isso, tanto os adultos como as crianças tinham uma boa musculatura desenvolvida, o que proporcionava boa saúde.

Hoje em dia a maioria das crianças só quer saber de ver televisão, brincar no computador ou no smartphone, e os adultos trabalham quase o dia todo sentados, as pessoas vão para a escola ou para o trabalho de ônibus ou de carro. Tudo isso contribui para que as pessoas se movimentem menos. Dessa maneira, a nossa musculatura e nossos ossos vão ficando cada vez mais fracos, e com isso temos muito menos energia e menos saúde.

Vejo as pessoas falando que se exercitam duas vezes por semana e acham que é suficiente, sendo que, se a semana tem sete dias, elas estão ficando cinco dias sem fazer nada, ou seja, cinco a dois é praticamente uma goleada. O mínimo de atividade física por semana deveria ser cinco dias de exercício para dois de repouso. E o ideal mesmo é se exercitar todos os dias.

A locomotiva Maria Fumaça tinha uma fornalha na qual o maquinista colocava lenha para o fogo queimar e gerar energia para mover todo o trem. Nós também somos assim, só que a nossa fornalha que queima os alimentos que consumimos, como se fosse o carvão, está localizada nos nossos músculos, logo, quanto mais músculos, mais energia; quanto mais músculos eu tenho, menos eu engordo, pois consigo queimar grande parte dos alimentos ingeridos. Quanto mais energia, mais saúde, mais disposição, mais vida. Essa mesma locomotiva precisa ser usada regularmente, senão ela enferruja.

Segundo o livro *Programa de condicionamento físico*,[49] quando pensamos em atividade física, devemos levar em conta três fatores muito importantes, responsáveis por aproximadamente 90% do condicionamento do sistema musculoesquelético: aptidão cardiovascular (trabalha nossos vasos sanguíneos, o coração e os pulmões), flexibilidade (mantém nossa elasticidade e equilíbrio) e força muscular (como o nome diz, trabalha o ganho e a manutenção de força e massa muscular).

O **treino cárdio** é uma abreviação para o treinamento cardiorrespiratório ou cardiovascular. Ele é responsável por proporcionar ao praticante adaptações do coração, dos pulmões e também das artérias e veias de todo o

49 AMERICAN COLLEGE OF SPORTS MEDICINE. **Programa de Condicionamento Físico da Acsm**. São Paulo: Editora Manole, 1999..

corpo, que resultam em maior resistência e diminuição do cansaço. Esse tipo de treinamento resulta em adaptações respiratórias como a melhora na capacidade de ventilação pulmonar e na força de contração do coração, diminuindo a sensação de cansaço depois de realizar esforços físicos – além de manter a elasticidade das artérias e veias do corpo, prevenindo assim o seu endurecimento com prevenção ativa do surgimento da hipertensão arterial. Nosso corpo aprende a realizar as atividades de vida diária com menos esforço, ou seja, nos adaptamos cada vez melhor para realizar o mesmo exercício com menos esforço.

Quando bem aplicado, proporciona diversas adaptações que fazem com que a pessoa melhore o desempenho tanto nos treinos quanto nas atividades diárias. Ele é uma ótima alternativa para quem precisa melhorar a resistência, uma vez que há grandes grupos musculares envolvidos.

É um tipo de exercício que o permite executar as tarefas do dia a dia, como subir uma escada correndo, atravessar uma rua, correr atrás de um ônibus ou brincar com uma criança, sem parecer que o coração quer saltar para fora. Também estimula a queima de muitas calorias, sendo um importante coadjuvante no processo de emagrecimento. Entre as principais atividades cardiovasculares, temos caminhar, correr, andar de bicicleta, nadar, jogar futebol, vôlei, basquete e tênis, andar de skate e/ou patins, pular corda, dançar etc.

O **conceito de flexibilidade** também deve ser estimulado, pois, à medida que ficamos sedentários e com o passar dos anos, vamos sentindo como se as articulações e os tendões se encurtassem, dando a impressão de que estamos enferrujados. O condicionamento físico é o primeiro e mais importante fator que influencia na flexibilidade de uma pessoa, mas existem outras condições que levam a uma variação da característica:

- **Hora:** logo depois de acordar pela manhã a flexibilidade costuma ser menor;
- **Idade**: conforme a mobilidade articular diminui com a idade, a flexibilidade também decresce;
- **Sexo:** é comum encontrarmos mulheres com nível de flexibilidade levemente superior ao dos homens;
- **Temperatura:** quando o corpo está mais frio, a flexibilidade diminui ligeiramente.

Dois fatores muito importantes são a respiração e a concentração. Alguém pouco concentrado sentirá mais dificuldade para alcançar maior flexibilidade.

Quanto maior for a capacidade de mover suas articulações na amplitude máxima, melhor serão seus movimentos. E isso se aplica até para atividades de rotina, sem nada desportivo. Além disso, membros flexíveis e alongados ajudam a estabilizar e evitar mobilidade excessiva na lombar. Ao conseguir mover os membros de maneira mais eficiente, o indivíduo evita compensar na coluna lombar. Sabemos que essas compensações estão entre as principais causas de lombalgias.

Quando falamos de alongamento, a pessoa já pensa em ficar parada tentando alcançar os pés. Mas fique sabendo que essa não é a única maneira de alongar e ganhar flexibilidade. Atividades como pilates, ioga, tai chi chuan e balé são excelentes para melhorar a flexibilidade e a respiração, devendo ser praticadas de trinta a sessenta minutos, duas a três vezes por semana. Isso permite pegar aquele objeto que cai no chão ou amarrar o cadarço do sapato sem exigir grandes contorcionismos, bem como dar maior grau de mobilidade a todas as nossas articulações.

O **treino de força** consiste na realização de certos exercícios que utilizam a contração da musculatura esquelética contra alguma forma de resistência, que pode ser conseguida por meio do próprio corpo, de pesos livres ou de máquinas. Durante muitos anos, a força muscular foi esquecida, sendo a principal causa de incapacidade das pessoas acima de 60 anos, pois leva a uma doença chamada sarcopenia, que é a perda de massa e de força muscular.

Quando fazemos o treinamento de força com frequência, estimulamos o aumento da massa muscular, com consequente aumento do número de mitocôndrias, fazendo com que nosso organismo aumente sua fornalha de energia, o gasto calórico diário e o nosso nível de energia para realizar todas as tarefas do dia a dia, desde limpar a casa, subir um morro, namorar ou correr para brincar com as crianças.

O treinamento de força é o mais indicado para a contínua renovação das células dos nossos ossos (os ossos, apesar da sua rigidez, são tecidos vivos, que precisam ser renovados constantemente para manter suas funções). Quem treina com pesos pode apresentar uma densidade mineral óssea em média 40% maior do que pessoas sedentárias. Outro benefício do treinamento de força é a redução da massa gorda em prol do aumento da massa magra.

Também consideramos a prevenção de lesões, fortalecendo musculaturas profundas estabilizadoras e tornando as articulações cada vez mais funcionais, reduzindo assim as dores articulares. Músculos fortes recuperam-se mais rápido e diminuem a probabilidade de possíveis lesões.

O treinamento de força deve ser praticado duas a três vezes por semana, envolvendo os principais grupamentos musculares: bíceps braquial, tríceps, braquial, trapézio, deltoide, grande dorsal, peitoral, musculatura do core, quadríceps femoral, bíceps femoral, adutores, abdutores e panturrilha.

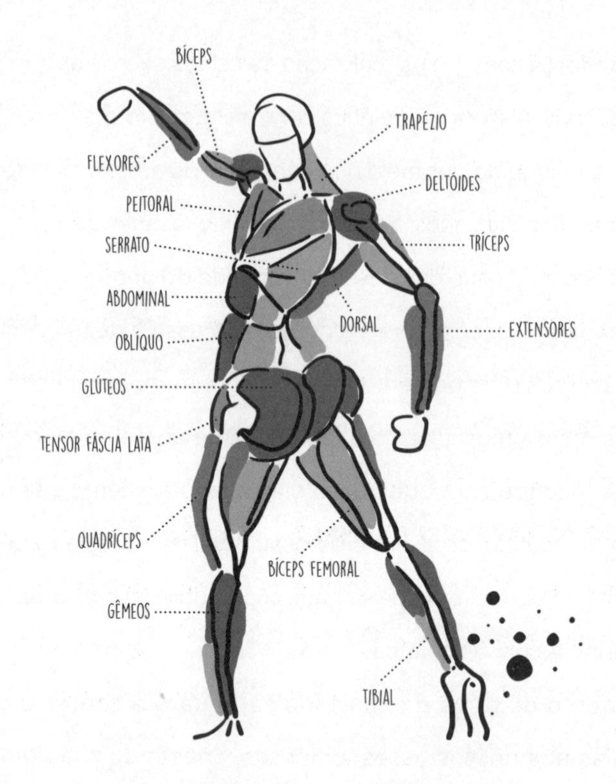

Entre as melhores atividades para manter a força muscular destacamos a musculação, o treinamento funcional, o *crossfit* e a ginástica localizada.

Para crianças, podemos utilizar tarefas que exigem força no dia a dia, como ajudar os pais a carregar algumas sacolas na feira ou malas de viagem, ajudar na mudança dos móveis de lugar sem necessariamente forçar demais a musculatura ou as articulações.

Os exercícios físicos são de fundamental importância para a manutenção do corpo, além de trazer benefícios pessoais, pois estimulam a produção de hormônios do bem-estar, como a serotonina e a dopamina, ajudam a emagrecer, melhoram a qualidade do sono, ajudam no controle da ansiedade e da depressão, o intestino funciona melhor, as dores diminuem, o nível de atenção e a capacidade para armazenar informações aumentam e, quando praticados em família, melhoram a relação entre seus membros.

A receita poderosa é ter alegria em praticar, sem sofrer. Devemos ficar atentos às sensações prazerosas que os exercícios nos proporcionam, além de mentalizar os inúmeros benefícios e também aproveitar o momento para relaxar a mente dos problemas do dia a dia.

Entretanto, como fazer para estimular os filhos a praticar exercícios físicos regularmente em uma época repleta de aparelhos eletrônicos?

É hora de voltar ao básico, do mesmo modo que fazíamos antigamente. Desconecte-se do seu mundo e ajude seus filhos a se manterem saudáveis com essas ideias para incentivar a atividade física:

INCENTIVE ATRAVÉS DO EXEMPLO: seus filhos o olharão como um exemplo, e nenhuma quantidade de encorajamento funcionará se ele vir o contrário em você, esse é o segredo do espelho. Mas, se o virem fazendo das atividades físicas uma prioridade, eles provavelmente se interessarão por elas.

CAMINHEM ATÉ A ESCOLA OU PARA ATIVIDADES PRÓXIMAS DE CASA: se for uma opção para você, em vez de levar seus filhos para a escola, padaria ou mercadinho de carro, incentive-os a caminhar. Bicicleta, skate e patins são opções igualmente boas. Não só vocês vão fazer mais exercícios, mas, se os seus filhos costumam ser mais sonolentos no período da manhã, essa pequena atividade física os manterá alerta e prontos para aprender quando chegar à aula.

ENVOLVA TODA A FAMÍLIA NAS ATIVIDADES FÍSICAS: em vez de escolher um dos seus filhos para se exercitar, torne a atividade algo de que toda a família possa participar. Planeje um passeio noturno depois do jantar, brinque de pique, passe uma tarde de sábado no parque ou jogue uma partida de futebol na praia com eles.

DEIXE-OS ESCOLHEREM AS ATIVIDADES: encontrar uma atividade com que seu filho se identifique é a melhor maneira de garantir que ele vá praticá-la frequentemente. E a melhor maneira de descobrir de quais atividades físicas seu filho pode gostar é perguntando e estimulando a prática de várias modalidades para reconhecer as melhores aptidões. Envolva-os em uma conversa sobre os tipos de esporte e outras atividades que eles considerem atraentes e trabalhe em conjunto para criar um plano que incorpore mais dessa atividade na rotina da família. Isso permite que seus filhos desempenhem um papel ativo em sua saúde física, em vez de sentirem como se o esporte ou outra atividade seja apenas uma obrigação.

PROGRAME AS ATIVIDADES FÍSICAS DA FAMÍLIA: selecione uma atividade favorita ou uma nova atividade que você gostaria de experimentar com seus filhos. Escolha uma data e hora para fazer isso e faça os planos, reservas, aluguel ou compra dos equipamentos; em seguida, coloque-a no calendário da família. Transforme o "exercício" em um "evento" extraordinário.

FAÇA UMA TABELA DA PRÁTICA DE ATIVIDADES FÍSICAS: "tarefa" é uma palavra com conotações negativas, especialmente para crianças e adolescentes. Mas você pode usar o conceito de uma tabela ou gráfico de tarefas chamado "Folha de atividades" para ajudar a lembrar seu filho de se manter ativo durante a semana. Você pode também fornecer estrelas douradas para serem aplicadas na tabela nos dias da semana em que todas as tarefas de atividades físicas foram cumpridas adequadamente.

ESTIMULE A PRÁTICA DE ATIVIDADES AO AR LIVRE: retire um pouco o smartphone ou o controle do videogame das mãos dos seus filhos e incentive a prática de atividades ao ar livre. Se você não tem um quintal ou área de lazer segura em casa, leve-os para um parque ou praia. Existe algo mágico entre crianças e ar livre que praticamente garante grande quantidade de brincadeiras.

Precisamos reservar uma hora do nosso dia para a realização regular de atividades físicas. O ideal para manter o nosso corpo saudável e o nosso nível de energia alto é também manter o equilíbrio entre os três principais tipos de atividade durante a semana. Segue uma tabela como exemplo:

ATIVIDADE FÍSICA

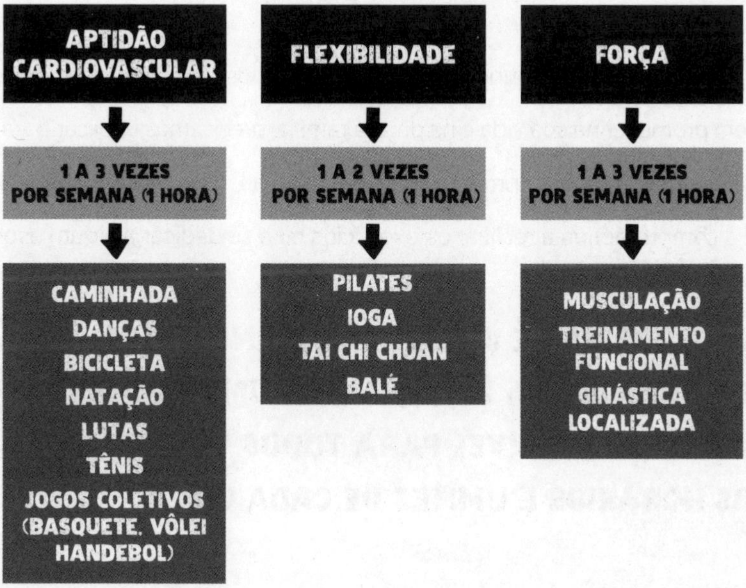

APTIDÃO CARDIOVASCULAR	FLEXIBILIDADE	FORÇA
1 A 3 VEZES POR SEMANA (1 HORA)	1 A 2 VEZES POR SEMANA (1 HORA)	1 A 3 VEZES POR SEMANA (1 HORA)
CAMINHADA DANÇAS BICICLETA NATAÇÃO LUTAS TÊNIS JOGOS COLETIVOS (BASQUETE, VÔLEI HANDEBOL)	PILATES IOGA TAI CHI CHUAN BALÉ	MUSCULAÇÃO TREINAMENTO FUNCIONAL GINÁSTICA LOCALIZADA

Agora é a hora de você criar o seu Plano de Atividades Físicas. Disponibilizamos aqui uma tabela para ajudá-lo a montar o seu plano de atividade física pessoal e o da sua família.

PLANEJAMENTO DE ATIVIDADES FÍSICAS				
DIA DA SEMANA	CARDIOVASCULAR	FLEXIBILIDADE	FORÇA	TOTAL
SEGUNDA				
TERÇA				
QUARTA				
QUINTA				
SEXTA				
SÁBADO				
DOMINGO				

Agora que você já conhece todos os benefícios que as atividades físicas podem promover na sua vida e na da sua família, precisamos explicar para nossos filhos que, para esse projeto ser bem-sucedido, é necessário que a família esteja comprometida a realizar os exercícios ou a se dedicar a algum esporte.

UMA FORMA DE INCENTIVAR OS MEMBROS DA SUA FAMÍLIA É ORGANIZAR UMA ROTINA QUE SEJA POSSÍVEL PARA TODOS, RESPEITANDO OS HORÁRIOS E LIMITES DE CADA UM.

Além disso, conversem entre si e reúnam todas as possibilidades de atividades que vocês podem praticar, aceitando sugestões e entendendo quais são as preferências dos outros. No fim, todos vão perceber que esse hábito de realizar atividades físicas diariamente mudará a rotina da família para melhor de uma vez por todas.

OS EXERCÍCIOS FÍSICOS SÃO DE FUNDAMENTAL IMPORTÂNCIA PARA A MANUTENÇÃO DO CORPO, ALÉM DE TRAZER BENEFÍCIOS PESSOAIS.

CAPÍTULO 10

COMECE PELA ALIMENTAÇÃO SAUDÁVEL EM FAMILIA

Uma boa alimentação é fundamental para que possamos avançar e precisamos aprender sobre a importância da qualidade e da quantidade de alimentos que comemos, pois eles vão servir como fonte de energia e renovação de nossos órgãos. É como se fosse a gasolina que é colocada em um carro. Já pensou se colocar uma gasolina de má qualidade? Ou misturada com água? O que pode acontecer com o motor? Quando consumimos alimentos que não são saudáveis é exatamente isso que estamos fazendo com o nosso organismo, pois estamos prejudicando a engrenagem e as peças de nosso corpo.

Uma alimentação saudável requer quantidades certas, sem exageros e sem exclusão de alimentos que forneçam ao nosso corpo os macronutrientes (proteínas, carboidratos e gorduras) e os micronutrientes (vitaminas e minerais). E, é claro, nunca se deve esquecer de manter o corpo hidratado com quantidades adequadas de água e líquidos.

Praticamente conseguimos todos os nutrientes necessários para manter nossa saúde com uma alimentação adequada, não sendo necessário o uso de suplementos alimentares. Devemos realmente nos esforçar para manter o equilíbrio e realizar escolhas que estejam de acordo com o nosso estilo de vida e objetivo. É saudável que exceções sejam abertas para que você encontre o prazer tão desejado por seu cérebro na alimentação, entretanto é preciso focar a moderação. Identificar fome e saciedade e comer sem culpa. Comer é nutrição, mas também é um ato social, um momento mágico que alimenta não só o corpo mas também a alma.

Entre os benefícios da alimentação saudável podemos destacar:

- **Diminuição e manutenção do peso;**
- **Aumento da disposição;**
- **Melhora do humor;**
- **Prevenção de doenças;**
- **Fortalecimento dos ossos;**
- **Regulação do organismo.**

COMO FUNCIONA A TRANSFORMAÇÃO DE ALIMENTOS EM ENERGIA?

A alimentação está diretamente ligada à obtenção de energia pelo corpo. É essa energia que precisamos para nos manter aquecidos, nos fazer crescer, pensar, movimentar etc.

Para entendermos o que o nosso corpo faz para transformar os alimentos em energia, primeiro precisamos saber que os itens da nossa alimentação são compostos de macronutrientes. São eles os carboidratos, as proteínas e os lipídeos (as famosas gorduras). Para serem absorvidos, eles precisam ser quebrados em partes menores. Nosso organismo fragmenta os alimentos de maneira mecânica (durante a mastigação) e química (através das enzimas digestivas).

Após serem quebrados, os nutrientes precisam ser absorvidos, processo que acontece no intestino. Os nutrientes caem na corrente sanguínea e, graças a outro importante órgão, o coração, são bombeados para todo o corpo, levando a energia necessária para cada célula do corpo. O que não é absorvido é eliminado pelo intestino grosso, local em que se formam as fezes.

TAXA METABÓLICA BASAL

A palavra "metabolismo" vem do grego *metábole*, que significa mudança. É usada para descrever as várias reações químicas existentes no organismo que garantem as necessidades estruturais e energéticas de um ser vivo.

Taxa metabólica basal é como chamamos o mínimo de energia necessária para que o organismo consiga realizar suas atividades básicas em repouso (como manter o funcionamento do coração e garantir a respiração). Não entra nessa conta a energia que você gasta enquanto está em movimento. Essa taxa varia de uma pessoa para outra e está relacionada à quantidade de músculo que cada pessoa possui, uma vez que o gasto energético depende, entre outros fatores, da idade, do sexo e do nível de atividade realizada pelo indivíduo.

Além de manter as atividades "involuntárias" do corpo (respiração, circulação sanguínea, temperatura corporal etc.), a taxa metabólica basal também serve para transportar a quantidade correta de nutrientes e outras substâncias para todo o corpo enquanto dormimos.

Pessoas que possuem mais músculos queimam mais calorias do que aqueles que possuem maior taxa de gordura corporal. Envelhecer também retarda o metabolismo, entre outros motivos, porque o corpo perde massa muscular com o tempo.

Compreender esse funcionamento é um grande passo para ter sucesso em seus objetivos com seu corpo: você pode consumir menos calorias para emagrecer ou consumir mais calorias para ganhar peso (desde que fazendo escolhas saudáveis, claro).

Então guarde isto com você: para conseguir manter um peso estável, a energia que você consome deve ser a mesma que você gasta. E isso também faz parte de uma dieta saudável.

CALORIAS, MACRONUTRIENTES E MICRONUTRIENTES

Para conseguir selecionar os alimentos mais saudáveis para você e para sua família é preciso conhecer os nutrientes de cada um, pois não é apenas a quantidade de calorias que definirá se a comida é boa ou não, mas também a quantidade de outros elementos.

CALORIAS: é a energia produzida por determinados componentes dos alimentos quando são utilizados pelo organismo. Aqui envolvem a contagem de calorias apresentadas nas proteínas, carboidratos e gorduras. O consumo excessivo de calorias pode levar ao ganho de peso. Por isso, fique atento.

NUTRIENTES E SUAS SUBDIVISÕES: todos os alimentos possuem elementos com funções específicas, os nutrientes. Existem duas subdivisões dentro dessa categoria: os macronutrientes (carboidratos, proteínas e gorduras) e os micronutrientes (vitaminas e minerais).

MACRONUTRIENTES: devem estar no cardápio em maiores quantidades (em gramas geralmente). Após a digestão, os carboidratos são transformados em açúcares, as gorduras em ácidos graxos e glicerol e as proteínas em aminoácidos.

MICRONUTRIENTES: são responsáveis por manter a saúde do corpo, porém o seu consumo é bem menor (normalmente em miligramas) em comparação aos macronutrientes. Auxiliam a maioria das reações químicas do organismo. Na lista, podemos encontrar grande variedade de vitaminas como A, C, D, E, K e do complexo B, além dos minerais como fósforo, cálcio, ferro, potássio e zinco.

É importante saber que o consumo equilibrado e diário desses nutrientes é feito por meio da alimentação balanceada, rica em cereais, verduras, legumes, frutas, carnes variadas e leguminosas. Sem esquecer, é claro, de que o excesso desses elementos também é prejudicial à saúde. Como sempre, a palavra de ordem é moderação.

CARBOIDRATOS

Responsáveis por liberar glicose e por fornecer energia para as células, por ser a primeira fonte de energia celular para que o corpo continue funcionando bem. As principais fontes de carboidratos são pães, massas, arroz, raízes (mandioca, beterraba), doces, bebidas alcoólicas, refrigerantes, sucos e frutas.

Os principais tipos de carboidrato são:

GLICOSE: açúcar presente no mel, batata, arroz, farinha, doces etc.;

FRUTOSE: açúcar presente nas frutas;

LACTOSE: açúcar do leite. Sintetizado nas glândulas mamárias dos mamíferos;

SACAROSE: açúcar branco. Extraído da cana-de-açúcar, da beterraba, da uva e do mel;

MALTOSE: açúcar do malte. É obtido através da fermentação de cereais em germinação, tais como a cevada, presente na cerveja;

AMIDO: é a reserva energética dos vegetais. Presentes nos grãos e cereais, como trigo, aveia, centeio, cevada, milho, arroz, raízes e tubérculos, como mandioca, batatas e inhame;

CELULOSE (FIBRAS): presente nas frutas, hortaliças, legumes, grãos, nozes e cascas de sementes. As fibras são carboidratos que, apesar de não serem digeridos pelo processo digestivo, possuem várias funções importantes que veremos logo adiante.

Os carboidratos são:

- **Fontes de energia;**
- **Aliados do cérebro;**
- **Protetores dos músculos;**
- **Aliados do humor e bem-estar.**

CARBOIDRATOS SIMPLES E COMPLEXOS

Os **carboidratos simples** têm uma estrutura química molecular de tamanho reduzido e não possuem fibras associadas. A digestão e a absorção deles acontecem rapidamente, levando ao aumento dos níveis de glicose no sangue (glicemia).

Eles não contribuem para a sensação da saciedade e, por isso, a fome pode bater pouco tempo após seu consumo, contribuindo para o ganho de peso. Por esse motivo, devem ser consumidos com moderação.

Entre os alimentos ricos em carboidratos simples estão algumas frutas (como melancia, abacaxi e banana), mel, açúcar, arroz branco, massas refinadas, pipoca, sucos, pães, chocolate e doces em geral. Quando os açúcares e amidos são ingeridos em excesso, essas substâncias causam um tipo de inflamação por todo o corpo (chamada *inflammaging*) que pode resultar em dores articulares, queda do sistema imune e até mesmo alterações cardiovasculares; além disso, o exagero pode prejudicar a produção de colágeno e favorecer o envelhecimento precoce da pele.

Entretanto, não é necessário cortá-lo totalmente da dieta, pois, de maneira geral, eles são a fonte energética de que o cérebro mais gosta. Quando cortamos esse nutriente da alimentação, o organismo começa a gastar todos os estoques do corpo para fornecer energia ao cérebro.

A princípio, perdemos peso, pois, para estocar carboidrato, também é necessário estocar água. Porém, o corpo fica sem energia para fazer atividades físicas de maior intensidade, como malhar ou correr, além de ficar mais propenso a sintomas como falta de atenção, fraquezas, tonturas e mau humor. Além disso, quando sente falta de glicose, o cérebro dispara uma vontade enorme de comer carboidratos.

Os **carboidratos complexos** têm uma estrutura química maior e normalmente possuem fibras associadas, por isso são digeridos e absorvidos mais lentamente, o que faz com que a sensação de saciedade dure mais tempo.

Entre os alimentos ricos em carboidratos complexos estão arroz e macarrão integrais, batata-doce, aveia, algumas frutas (maçã, morango, pera, pêssego), grãos, iogurte, amendoim e tapioca.

Os carboidratos não são vilões; com moderação e sempre priorizando os complexos, ajudam a manter a energia e a boa saúde.

FIBRAS

Fibra é um tipo de carboidrato que não pode ser digerido pelo nosso sistema enzimático, ou seja, passa pelo nosso tubo digestivo sem sofrer modificações. Está presente em frutas, vegetais, grãos e legumes. São divididas em solúveis e insolúveis.

As **fibras solúveis** podem reduzir o colesterol, o que diminui o risco de doenças cardiovasculares. São encontradas em algumas frutas (por exemplo, laranja, maçã e banana), aveia, legumes (ervilha, soja e feijões) e em alguns vegetais, como brócolis e cenoura.

As **fibras insolúveis** atuam como laxantes naturais, auxiliando no tratamento da constipação. São encontradas em grãos integrais, como o trigo, e em vários vegetais, como couve-flor, feijões, casca de frutas e batatas.

PROTEÍNAS

É um nutriente essencial que deve ser ingerido diariamente para o bom funcionamento do nosso organismo, sendo indispensável em processos de construção e reparação do tecido muscular. Não existe nenhum processo biológico em que uma proteína não esteja envolvida.

Entre as funções atribuídas às proteínas podemos citar:

- **Fornecimento de energia;**

- **Estruturação da célula;**
- **Catalisador de funções biológicas, na forma de enzimas;**
- **Regulação de processo metabólicos;**
- **Armazenamento de substâncias;**
- **Transporte de substâncias;**
- **Construção e reparação dos tecidos e músculos;**
- **Defesa do organismo, na forma de anticorpos;**
- **Produção de hormônios e neurotransmissores.**

Estão presentes nos mais variados alimentos, principalmente em carnes, leite e ovos. As carnes destacam-se pelo alto valor de proteínas. A carne de galinha, por exemplo, é 20% composta de proteínas. Os ovos, por sua vez, são 11,8% constituídos de proteínas.

LIPÍDIOS

As gorduras não são necessariamente vilãs. Os lipídios (que são moléculas de gordura) possuem funções importantes para o organismo.

São eles os responsáveis pela nossa reserva de energia, pela proteção térmica do corpo e pela absorção das vitaminas A, D, E e K. Engana-se quem pensa que as gorduras são sempre maléficas para o organismo, afinal, os lipídios são superimportantes.

São classificados em óleos (insaturadas) e gorduras (saturadas), e são encontrados nos alimentos tanto de origem vegetal quanto animal, como nas frutas (abacate e coco), na soja, na carne, no leite e seus derivados e também na gema do ovo.

VITAMINAS

As vitaminas são nutrientes extremamente importantes para a nossa saúde e também podem ser obtidas a partir da alimentação. Algumas são produzidas em nosso corpo, como as vitaminas D e K.

Uma alimentação saudável consegue garantir, na maioria das vezes, que todas as vitaminas estejam disponíveis para o funcionamento adequado do nosso organismo. Diferentemente dos carboidratos e das proteínas e gorduras, as vitaminas não necessitam ser ingeridas em grandes quantidades.

Alguns dos problemas causados pela baixa quantidade de vitamina no corpo são:

- **Beribéri (deficiência de vitamina B1);**
- **Anemia (deficiência de vitamina B6, B9, B12);**
- **Problemas de visão (deficiência de vitamina A);**
- **Deformações ósseas (deficiência de vitamina D);**
- **Problemas de coagulação sanguínea (deficiência de vitamina K);**
- **Escorbuto (deficiência de vitamina C).**

Para se obter as vitaminas, é fundamental incluir na alimentação frutas, legumes, verduras, grãos, ovos, carne, leite e derivados. Nas carnes, encontramos as vitaminas B1, B2, B3, B5, B6, B7 e B12; nas hortaliças, temos as vitaminas A, B9 e K; a vitamina C pode ser encontrada em frutas como acerola, limão, laranja, maracujá e também no brócolis; a vitamina E está nos óleos vegetais, sementes e grãos; já a vitamina D é encontrada em alguns peixes, leite, gema de ovo, além de ser produzida pelo organismo quando somos expostos à luz solar.

MINERAIS

Encontramos os minerais na natureza (na água, no solo e nas plantas) e, em pequenas quantidades, também em nosso corpo (nos tecidos, líquidos e secreções corporais). São elementos necessários para o funcionamento do organismo e a manutenção da saúde. Representam de 4 a 5% do peso corporal e são eles:

- **Ferro (feijão, fígado de boi e de frango, castanha-de-caju, gema de ovo etc.);**
- **Selênio (castanha-do-pará, soja, picanha, fígado de frango etc.);**
- **Magnésio (feijão, soja, banana, leite de vaca integral etc.);**
- **Potássio (feijão, quinoa, pistache, leite de vaca, carne de porco, clara de ovo etc.);**
- **Fósforo (feijão, leite de vaca, fígado de frango, gergelim, carne de porco, gema de ovo etc.);**
- **Cálcio (peixes, leite de vaca e derivados, soja, feijão, gergelim etc.);**
- **Cobre (fígado de boi, mamão, grão-de-bico, repolho roxo, peixes);**
- **Sódio (ovos, feijão, aves, leite de vaca e derivados, frutos do mar e peixes);**
- **Zinco (ostras, grão-de-bico, ovo de galinha, castanha-de-caju, coco etc.);**
- **Iodo (alga marinha, bacalhau, iogurte, sal iodado, leite, ovo, atum etc.);**
- **Manganês (frutos do mar, coentro, palmito, avelã, nozes, arroz integral, aveia etc.).**

Muitas pessoas até tentam a reeducação alimentar, porém afirmam ser um processo longo e difícil. Mesmo sabendo o valor que ela pode acrescentar para a saúde e a qualidade de vida, na maioria das vezes não têm persistência em manter esse tipo de hábito saudável. Ter uma boa relação com sua alimentação vai muito além de simplesmente ter um corpo em forma.

Mas como fazer para estimular meus filhos a se alimentar bem?

A maioria das crianças e adolescentes passa, em algum momento, por uma fase em que se recusa a comer alguns tipos de alimentos, principalmente os mais naturais, ou só quer comer determinado tipo de alimento, muitas vezes industrializado e bem divulgado pela mídia.

Para prevenir as "batalhas" durante as refeições e ajudar a criar hábitos alimentares saudáveis, separamos algumas dicas:

1. SEJA UM BOM EXEMPLO

Se você costuma se alimentar de maneira saudável, com grande variedade de opções, é muito provável que seus filhos sigam seu exemplo e comecem a se alimentar da maneira correta. De nada adianta dizer para a criança comer uma fruta se os pais não têm esse costume e, na geladeira, mal se encontra uma maça.

As crianças veem nos pais o exemplo para tudo e com a comida não é diferente. Se os responsáveis têm hábitos alimentares errados, acabam induzindo os filhos a comerem do mesmo jeito.

2. MANTENHA UMA ROTINA ALIMENTAR SAUDÁVEL

É recomendado servir as refeições sempre nos mesmos horários para criar uma rotina e evitar aqueles inúmeros lanchinhos ao longo do dia que podem, até mesmo, ter um impacto ruim na saúde dos nossos filhos.

3. IDENTIFIQUE O PORTEIRO NUTRICIONAL DA CASA

A pessoa chamada porteiro nutricional é a responsável pela compra dos alimentos. Precisamos orientar as escolhas de maneira equilibrada e o mais saudável possível de acordo com as necessidades nutricionais da família, evitando docinhos, guloseimas, biscoitos recheados em excesso.

4. SEJA CRIATIVO NA APRESENTAÇÃO DO PRATO

Um prato colorido, com aspecto agradável e até mesmo divertido é fundamental para despertar o interesse das crianças e dos adolescentes que estão aprendendo a experimentar novos alimentos.

5. EVITE DISTRAÇÕES DURANTE AS REFEIÇÕES

Desligar a TV, desconectar do celular e retirar os brinquedos na hora das refeições é fundamental para dar à comida toda a atenção que ela merece. Comer é uma das atividades que provoca maior liberação de hormônios pelo nosso organismo, então precisamos ensinar os nossos filhos a saborear adequadamente cada alimento.

6. ENVOLVA OS FILHOS DESDE A COMPRA DOS ALIMENTOS ATÉ O PREPARO DAS REFEIÇÕES

Na feira ou no supermercado, envolva a criança na escolha de legumes, verduras e frutas. Dessa forma, ela pode conhecer os diferentes formatos, cores e texturas dos alimentos, ajudando a se interessar pelos mesmos. Em casa ela também pode lavar os vegetais, mesclar molhos e ajudar no preparo da refeição.

A chance do seu filho querer experimentar um prato que ele mesmo ajudou a preparar é muito maior. Manter essa relação com a comida fará com que ele conheça melhor cada alimento e sinta o prazer do momento ao lado dos pais, criando também uma memória afetiva.

7. ORGANIZAÇÃO DA MESA

Educadores sugerem que crianças desde os 2 ou 3 anos podem ajudar a montar a mesa da refeição, colocando os guardanapos, por exemplo. À medida que crescem, podem colocar e depois tirar outros itens, como o descanso dos pratos quentes e os próprios pratos. Esse ritual é constante na vida de um adulto e por isso mesmo é importante ensinar aos filhos que eles também fazem parte da alimentação ideal, com o local limpo e se preparando para uma deliciosa refeição em família.

8. ADEQUANDO QUANTIDADE DE ALIMENTOS À FOME. EVITAR COMER COM OS OLHOS

É importante estimular a percepção da própria criança em relação ao quanto ela vai comer de acordo com a fome daquele dia. Isso é essencial para que a criança saiba se guiar do quanto ela precisa naquele momento, de qual a quantidade ideal para ela naquela refeição, sabendo trabalhar e respeitar a saciedade.

9. APRENDENDO A IMPORTÂNCIA DE CADA REFEIÇÃO

Café da manhã, almoço e jantar são as principais refeições do nosso dia e não podem ser substituídas por alimentos que tragam maior teor calórico e menor valor nutricional. Já os lanches podem ser mais leves, compostos principalmente de frutas.

10. ENTENDENDO A PROPRIEDADE DE CADA ALIMENTO

Não se trata de passar a refeição inteira falando das funções benéficas de cada alimento, mas, ao servir o arroz com feijão, por exemplo, vale dizer que essa "dupla" faz parte dos alimentos saudáveis e contém uma série de vitaminas e nutrientes. E que comer esses alimentos, portanto, faz um bem enorme ao corpo e à saúde.

Não podemos esquecer que comer também é sinônimo de prazer e de bem-estar e, por isso, é tão importante que a gente repense a nossa relação com a comida como um todo.

Comer não é só se nutrir. É também uma ceia, uma festa, um ato social, um momento mágico que alimenta não só o corpo, mas também a alma.

Agora é a hora de você construir o seu Plano de Alimentação Equilibrada. Disponibilizamos aqui uma tabela para te ajudar a montar o seu plano de alimentação pessoal e o da sua família.

PLANEJAMENTO DE ALIMENTAÇÃO EQUILIBRADA

	SEGUNDA	TERÇA	QUARTA	QUINTA	SEXTA	SÁBADO	DOMINGO
CAFÉ							
LANCHE							
ALMOÇO							
LANCHE							
JANTAR							

Para crescer e ter uma vida saudável, é fundamental que as crianças sejam incentivadas aos bons hábitos alimentares desde cedo. Se não tivermos preocupação com a alimentação, nossos filhos crescem com o mesmo pensamento e dificilmente terão um estilo de vida saudável.

A alimentação saudável traz mais qualidade de vida e também ajuda a recriar hábitos. Os resultados são coletivos, porém uma considerável melhora na saúde de cada indivíduo, não importa a idade, é rapidamente notada.

UMA ALIMENTAÇÃO MAIS CONSCIENTE FAZ PARTE DE UMA VIDA MAIS SAUDÁVEL, COM MAIS AFETO, SAÚDE MENTAL E FÍSICA E DISPOSIÇÃO PARA ENCARAR OS DESAFIOS DO DIA A DIA COM EQUILÍBRIO!

NÃO PODEMOS ESQUECER QUE COMER TAMBÉM É SINÔNIMO DE PRAZER E DE BEM-ESTAR E, POR ISSO, É TÃO IMPORTANTE QUE A GENTE REPENSE A NOSSA RELAÇÃO COM A COMIDA COMO UM TODO.

CAPÍTULO 11
SONO RESTAURADOR PARA TODA A FAMÍLIA

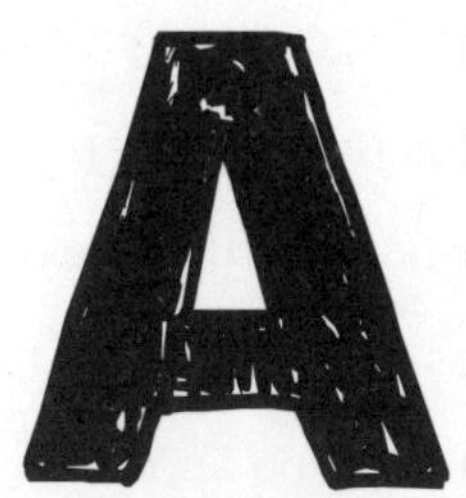

privação do sono é a maior epidemia silenciosa do nosso tempo. Vivemos em um mundo que funciona 24 horas por dia e as diferenças de horários deixaram de existir graças à internet e aos canais de televisão. Queremos estar a par de tudo o que acontece, e o tempo que usamos para nos informar consome as horas de descanso. O sono continua sendo um grande desconhecido para a maioria e a atenção que se presta a ele é escassa ou nula.

O sono é uma das necessidades básicas de vida e essencial para todas as crianças e adolescentes para o crescimento e desenvolvimento saudável. Para manter um bom ritmo biológico é importante manter um cronograma de horas para dormir, estar alerta, pensar, estudar, trabalhar, sentir-se bem e realizar atividades de lazer, assim como digerir bem os alimentos após as refeições. Em virtude da intensa relação existente entre a qualidade do sono e a da vigília, um dos resultados mais imediatos do sono de má qualidade é a queda no rendimento da performance ou das atividades executadas no dia seguinte, provocando danos durante o período de vigília, como sonolência, ansiedade, depressão, baixa autoestima, lentidão de raciocínio, mau desempenho escolar e pessoal, predisposição aos acidentes e traumas, dificuldades em acumular conhecimentos, alterações do humor e comprometimento de criatividade, atenção, memória e equilíbrio. As pessoas têm dormido cada vez pior e em pouca quantidade, principalmente quem mora em cidades grandes. Então é preciso dar mais atenção para o assunto e melhorar a nossa qualidade do sono já!

Precisamos lembrar que somos animais de hábitos diurnos, ou seja, fomos preparados para acordar assim que surgem os primeiros raios de sol, por volta das 6 horas da manhã, e para começar o nosso período de descanso e de sono assim que o sol se põe, por volta das 19 horas.

No Brasil, assim como nos Estados Unidos e na Europa, na época de 1900, a pessoa tinha, em média, de oito a nove horas de sono por noite.[50]

Segundo dados da Associação Brasileira do Sono (ABS),[51] a população brasileira está dormindo cada vez menos. Em 2018, o brasileiro dormia em média 6,6 horas por dia; já no ano seguinte, passou para 6,4 horas, quando a recomendação da Organização Mundial da Saúde (OMS) é de sete a nove horas de sono por dia.

São diversos os fatores que contribuem para a má qualidade do sono do brasileiro. Exposição à luminosidade de celulares, *tablets* e computadores; fatores pessoais, como ansiedade, nervosismo e preocupações; além de outras doenças não controladas, como arritmias, depressão e asma, são alguns dos fatores.

É com o terço da vida que passamos dormindo que garantimos a qualidade dos outros dois terços. Enquanto você dorme, seu cérebro se dedica a um trabalho muito importante: ele organiza as informações do decorrer

---

50 SAMSON, D. R.; NUNN, C. L. Sleep intensity and the evolution of human cognition. **Evolutionary Anthropology**: Issues, News, and Reviews, [S.L.], v. 24, n. 6, p. 225-237, nov. 2015. Disponível em: https://pubmed.ncbi.nlm.nih.gov/26662946/. Acesso em: jul. 2021.

51 COLTRI, F. O brasileiro está dormindo cada vez menos e isso não é bom. **Jornal da USP**. São Paulo, 2020. Disponível em: https://jornal.usp.br/campus-ribeirao-preto/o-brasileiro-esta-dormindo-cada-vez-menos-e-isso-nao-e-bom/.

do dia e depois guarda parte delas na memória, e isso acontece da mesma maneira com as crianças e adolescentes, por isso o sono é um período tão importante para a fixação do aprendizado.[52]

É como a limpeza que fazemos nos arquivos do computador: salvamos os arquivos bons e jogamos no lixo os desnecessários. A fixação da nossa memória é profundamente influenciada pelo sono, em especial o da fase REM.

Os atuais excessos de uso da internet e das redes sociais, o excesso de trabalho e de estudos e o nosso consumismo desenfreado estão reduzindo o tempo dedicado ao sono e nos levando a vários problemas físicos e mentais.

Problemas de sono podem estar diretamente relacionados com estresse familiar, isto é, distúrbios de sono da criança influenciam no bem-estar dos pais e problemas emocionais dos pais precipitam ou pioram o distúrbio do sono da criança. Alguns pais sentem dificuldade em impor limites aos filhos, tanto durante o dia quanto na hora de dormir ou durante a noite, o que influencia no desenvolvimento de comportamentos inadequados para dormir, tornando esse momento estressante e gerador de ansiedade. Muitos pais precisarão de auxílio para entender suas funções como cuidadores e as responsabilidades que pai e mãe têm. Devem estar preparados e envolvidos com o cuidado da criança, sabendo separar seus problemas particulares com o trabalho ou os problemas conjugais para poderem ajudar os filhos.

O sono atrasado afeta o raciocínio e as habilidades mentais. Indivíduos cronicamente privados de sono estão mais sujeitos a episódios mais graves de depressão. A pessoa com sono sente mais fome e não consegue evitar alimentos com alto teor de gordura e carboidratos.[53]

---

52 KAPLAN, H.I.; SADOCK, B.J.; GREBB, J.A. **Compêndio de Psiquiatria**: Clínicas do Comportamento e Psiquiatria Clínica. 7. ed. Porto Alegre: Artes Médicas, 1997.

53 MORAWETZ, D. Insomnia and depression: which comes first? **Sleep Research Online**, v. 5, n. 2, p. 77-81, 2003.

A família toda deve estar mobilizada para haver um horário de dormir, sem brigas ou discussões, e com muita paciência e acolhimento. Pais que têm uma agenda irregular de tarefas tendem a sentir dificuldades para impor limites e rotinas para seus filhos e acabam interferindo no sono deles. Deve-se incluir os pais na rotina de sono e, principalmente, determinar para estar com seu filho que não seja somente na hora de dormir. Foi somente nas últimas quatro décadas que os cientistas começaram a investigar o sono para valer e a desvendar os seus mistérios: paradoxalmente, ao longo desse período, a sociedade passou a desprezá-lo mais e mais e a valorizar a atividade profissional além da conta. Para algumas pessoas, dormir é considerado uma perda de tempo, mas dormir é essencial para se ter qualidade de vida.

Para entender melhor como o sono funciona, precisamos compreender as regras dele em nosso corpo e as suas fases: estágios 1, 2, 3, 4 e *Rapid Eye Movement*, ou Movimento Rápido dos Olhos (REM).

Normalmente, quando você está dormindo, você começa no 1 e passa por cada estágio, até atingir o sono REM. Um ciclo de sono completo dura em torno de 90 a 120 minutos. Algumas das etapas estão diretamente ligadas com a saúde de sua memória, concentração e até problemas com estresse.

Mas, afinal, o que acontece exatamente em cada uma das fases do sono? Explicaremos melhor a seguir.[54]

FASE 1: é a fase do sono leve, nela você experimenta um entrar e sair do sono, sendo facilmente acordado. Dura em torno de cinco a dez minutos.

---

54 NOFZINGER, E. A. Functional neuroimaging of sleep. **Semin Neurol**, [S.L.], v. 25, n. 01, p. 9-18, mar. 2005. Disponível em: https://pubmed.ncbi.nlm.nih.gov/15798933. Acesso em: jun. 2021.

FASE 2: cerca de 50% de seu tempo dormindo é gasto nessa etapa do sono. Durante esse estágio, o movimento dos olhos para e suas ondas cerebrais tornam-se mais lentas, o corpo esfria e os músculos começam a relaxar. Dura em torno de vinte a trinta minutos.

FASE 3: é a primeira fase do sono profundo. É aqui que nosso cérebro praticamente se desliga, relaxando toda a musculatura. Durante esse estágio, pode ser muito difícil acordar alguém. Quando acordado durante esse estágio, você pode sentir-se fraco e desorientado por vários minutos antes de recobrar plena consciência de onde está. Dura em torno de vinte a trinta minutos.

FASE 4: segunda fase do sono profundo, o cérebro também está praticamente desligado, mantendo apenas as funções vitais. Também é muito difícil acordar alguém nessa fase. Dura em torno de dez a trinta minutos.

Todos os estágios de sono profundo são importantes para se sentir revigorado no dia seguinte. Se essas etapas são muito curtas, o sono não vai ser satisfatório.[55] Esses estágios são praticamente os mesmos em todas as idades, o que acaba variando um pouco é a duração de cada fase, que normalmente são um pouco maiores nas crianças e adolescentes.

Os estágios 1, 2, 3 e 4 são necessários, principalmente, para o descanso e relaxamento do indivíduo, além da secreção do hormônio do crescimento para aqueles que estão nessa fase (sobretudo crianças e adolescentes).[56]

---

55 WALKER, M. P. The role of sleep in cognition and emotion. **Annals of The New York Academy of Sciences**, [S.L.], v. 1156, n. 1, p. 168-197, mar. 2009. Disponível em: https://nyaspubs.onlinelibrary.wiley.com/doi/10.1111/j.1749-6632.2009.04416.x. Acesso em: jun. 2021.

56 NOFZINGER, E. A. Functional neuroimaging of sleep. **Seminars in Neurology**, [S.L.], v. 25, n. 01, p. 9-18, mar. 2005. Disponível em: https://pubmed.ncbi.nlm.nih.gov/15798933. Acesso em: jun. 2021.

Pessoas que têm problemas de insônia normalmente não conseguem passar do estágio 1 e 2, e as pessoas com má qualidade de sono raramente completam o ciclo com o sono REM.

REM - *RAPID EYE MOVEMENT*: fase do sono em que a maior parte dos sonhos ocorre. Nessa fase o cérebro é religado e funciona a pleno vapor, cerca de 20% do sono é o REM. O sono REM é importante para a criação de memórias de longo prazo. É necessário prestar atenção quando você sonha pouco ou não se lembra dos seus sonhos: isso pode ser um sinal de algum problema de sono, de memória ou de pouco tempo na fase REM. Esse estágio nas crianças e adolescentes são um pouco maiores.[57]

Durante o sono, temos em torno de seis a oito microdespertares muito breves. No caso de jovens e adultos, esses estados não costumam durar mais de trinta segundos; em compensação, nas pessoas de mais idade, a duração pode estender-se de dois a cinco minutos. Em todo caso, esses despertares são normais e aproveitamos para encontrar uma posição mais confortável ou nos cobrir se estamos com frio.

A Fundação Nacional do Sono, nos Estados Unidos, revisou 320 pesquisas para atualizar a recomendação de quantas horas de sono são necessárias diariamente para ficar com a saúde em dia, de acordo com cada faixa etária. O resultado foi publicado no periódico *Sleep Health: Journal of the National Sleep Foundation*, em 2018, e concluiu que recém-nascidos precisam dormir de catorze a dezessete horas por dia. Entre os bebês de 4 a 11 meses, a necessidade passou a ser de doze a quinze horas.

---

57 WALKER, M. P. The Role of Sleep in Cognition and Emotion. **Annals of The New York Academy of Sciences**, [S.L.], v. 1156, n. 1, p. 168-197, mar. 2009. Disponível em: https://nyaspubs.onlinelibrary.wiley.com/doi/10.1111/j.1749-6632.2009.04416.x. Acesso em: jun. 2021.

Conforme a idade aumenta, a necessidade de sono diminui. Crianças de 1 a 5 anos precisam de dez a catorze horas de sono, segundo os pesquisadores. Dos 6 aos 13, a recomendação é de nove a onze horas. Já os adolescentes de 14 a 17 anos devem dormir de oito a nove horas por noite para manter a saúde em dia.

A orientação para adultos de 18 a 64 anos: de sete a nove horas. Acima dessa idade, a quantidade diminui para sete a oito horas. Quando envelhecemos, dormimos menos horas ou fazemos isso de modo descontínuo, acordando várias vezes ao longo da noite, porém compensamos essa redução do tempo de sono com pequenos cochilos durante o dia.

Precisamos prestar mais atenção ao nosso quarto, porque nem sempre lhe atribuímos a importância que merece. O quarto, antigamente, era utilizado quase que exclusivamente para dormir; hoje, assistimos à televisão, telefonamos, preparamos a agenda do dia seguinte, estudamos, respondemos e-mails, damos recados no celular, comemos, discutimos com o cônjuge, fazemos amor e dormimos também. Quando realizamos tantas coisas nesse lugar, o cérebro recebe uma dupla mensagem, se confunde, já não sabe se ao entrar no quarto deve preparar-se para dormir ou permanecer acordado. Essa confusão é uma das principais razões por que algumas pessoas custam a pegar no sono.

Quando anoitece, nosso organismo começa a se preparar para dormir, mas, em nossa corrida contra o tempo, queremos aproveitar cada minuto que nos resta no dia e fazemos tudo isso à custa do sono. Talvez você tenha pensado: *Mas é claro que sim! O que seria da nossa vida se não tivéssemos isso? Só trabalhar, estudar, comer e dormir?*. Não é isso o que propomos. A diversão e o contato social são necessários para a saúde do corpo e da mente, não é preciso renunciar a nada, desde que façamos isso de maneira racional e planejada.

Enquanto estamos acordados, nosso cérebro coleta informações e, durante o sono, processa, consolida e guarda esses dados. Isso nos permite, durante a vigília, lembrar do que foi aprendido.

Muitos fracassos escolares e problemas de aprendizado são causados por um sono insuficiente ou de má qualidade. A maioria das pessoas começa a ter transtornos do sono devido a hábitos incorretos adquiridos ao longo da vida.

Sintomas de déficit de sono:

- **Sonolência;**
- **Baixo rendimento físico e intelectual;**
- **Fadiga e fraqueza;**
- **Ansiedade e maior vulnerabilidade à depressão;**
- **Irritabilidade, tristeza, agressividade, isolamento, choro fácil;**
- **Transtornos do apetite;**
- **Diminuição do desejo e da atividade sexual;**
- **Dores musculares por causa do aumento da tensão.**

Há pessoas que dizem: "Eu não tenho problemas de sono, em qualquer lugar em que sento, eu durmo". Na verdade, elas têm problemas, sim. As pessoas que dormem bem não adormecem assim quando se sentam em qualquer lugar. A sonolência diurna e o sono noturno de pouca qualidade estão relacionados, e uma cochilada ao volante pode ser a diferença entre a vida e a morte, sua e de seus acompanhantes.

Essas cochiladas são denominadas microssonos e sua causa principal é a falta de horas de descanso noturno ou a privação crônica de sono. É assim que o organismo compensa a falta de sono; trata-se de uma perda da consciência, muito breve, que passa despercebida pela pessoa.

Entre as principais causas de sonolência diurna estão:

- **Longas jornadas de trabalho;**
- **Muito tempo gasto nos deslocamentos;**
- **Exigências familiares ao voltar para casa;**
- **Exigências da escola ao voltar para casa (deveres de casa, trabalhos escolares);**
- **Excesso de estímulos antes de deitar-se, principalmente por meio das redes sociais;**
- **Turnos de revezamento no trabalho;**
- **Sonolência provocada por medicamentos.**

FATORES QUE TÊM COMPROMETIDO O SONO NO PERÍODO DA ADOLESCÊNCIA

Devido a padrões socioculturais e alterações puberais, os adolescentes estão propensos a atrasar seu ciclo sono-vigília. No entanto, com a rotina escolar iniciando-se cada vez mais cedo, e com a introdução de novas tecnologias no mercado, manter uma rotina adequada de sono tem se tornado um desafio para eles. O uso indiscriminado de computadores e televisão durante a semana contribui para que muitos jovens tenham atraso, ou mesmo transferência, do sono da noite para o dia, ocasionando uma privação de sono crônica. Além disso, a luz do computador afeta diretamente a produção de melatonina, favorecendo esse fenômeno. Vários estudos demonstram que a exposição às telas reduz e prejudica o padrão e a duração do sono durante a infância e a adolescência.

Outro fator que influencia na quantidade e na qualidade do sono é o estresse. O desenvolvimento humano em si pode se tornar uma fonte de estresse, principalmente para crianças e adolescentes, na medida em que cada estágio do seu crescimento se depara com situações ou descobertas novas, com as quais devem aprender a lidar. É importante orientar o adolescente de modo que ele entenda conceitos como "horas de sono perdidas não são recuperadas" e que os períodos de sono posteriormente programados não vão compensar uma noite maldormida. Além disso, considerar que práticas adequadas de atividades físicas regulares por tempo superior a sessenta minutos, redução do tempo de ociosidade em frente ao computador e à televisão e uma rotina mínima no período noturno podem contribuir bastante para que o período de sono seja satisfatório.

A QUALIDADE E A QUANTIDADE DAS HORAS DORMIDAS SÃO FUNDAMENTAIS PARA O BOM DESENVOLVIMENTO DAS CRIANÇAS E DOS ADOLESCENTES.

Considerando o papel-chave de pais e educadores nesse processo, a Sociedade Brasileira de Pediatria (SBP), por meio de seus Departamentos Científicos de Adolescência e de Sono, traçou as seguintes recomendações:

1. **Manter uma rotina para os cochilos diurnos das crianças que ainda necessitam, evitando-os no fim da tarde;**
2. **Colocar a criança ainda acordada em sua cama, indicando que é hora de dormir, oferecendo-lhe ambiente calmo e tranquilo para induzir o sono e ganhar sua confiança e segurança;**

3. **Criar uma rotina para a hora de dormir, com um momento bom e agradável com os pais (ler histórias, ouvir música calma etc.), sem muitos estímulos;**
4. **Criar um ambiente propício ao sono e recompensar as noites bem dormidas;**
5. **Manter o mesmo horário para dormir e acordar todos os dias, incluindo fins de semana e feriados (horários regulares);**
6. **Evitar bebidas (chocolate, refrigerante, chá-mate ou cafeinados) e medicações que contenham estimulantes próximas à hora de dormir;**
7. **Tentar não deixar a criança adormecer com mamadeiras, leite, chás ou vendo televisão ou em outro lugar que não seja sua própria cama;**
8. **Não alimentar a criança durante a noite, no máximo duas horas antes de ir deitar.**
9. **Evitar levar a criança para a cama dos pais ou outros lugares para dormir ou acalmar-se;**
10. **Se a criança acordar à noite para ir ao banheiro ou por causa de pesadelos, permanecer no quarto até ela se acalmar e avisar que só sairá do cômodo quando ela adormecer;**
11. **Quando lidar com a criança durante a noite, usar uma luz fraca, falar baixo e ser breve o suficiente, sem estimulá-la.**

Comportamentos, hábitos de sono e rotinas em geral são fatores importantes no sono de crianças em qualquer idade. Os pais ou responsáveis têm um papel decisivo na formação dessas rotinas, desde o bebê, que, por sua imaturidade neurológica e social, precisa de segurança para aprender a dormir sozinho, até o adolescente, que precisa de uma orientação para a escolha de comportamentos adequados para o sono. Para isso, os pais devem aprofundar seus conhecimentos sobre sono (expectativas, interpretações e emoções) e observar a resposta de seus filhos aos novos comportamentos adotados para orientá-los da melhor forma.

COMO INDUZIR O SONO

Essas dicas são muito interessantes para adolescentes e para os pais. Caso você ou um filho adolescente sofra de insônia ou, simplesmente, esteja se sentindo sobrecarregado com o estresse do dia a dia, pegar no sono pode não ser uma coisa tão simples como deitar na cama e fechar os olhos. Muitas distrações e pensamentos estressantes podem interferir em sua habilidade de dar ao corpo o descanso de que ele precisa. Uma das técnicas que podem ser empregadas para ajudar a pegar no sono adequadamente é a auto-hipnose, que pode ajudá-lo a se desligar dos pensamentos perturbadores e pode ser feita por você mesmo em sua casa.

A maioria dos especialistas recomenda relaxamento e força da sugestão e visualização de imagens para alcançar o estado da hipnose. Para crianças menores, o fato de lhes contar uma história funciona muito bem como uma hipnose, pois o grande objetivo é fazer com que a mente delas se esqueça dos problemas e medos que podem acontecer e as transporte para o mundo dos sonhos.

As dicas a seguir vão guiá-lo por esses passos e oferecer ideias adicionais de um estilo de vida para ajudá-lo a relaxar e entrar em um estado de sono relaxante.

ACALME A MENTE: para começar o período do sono, você precisa estar tranquilo e confortável para que sua mente não fique presa às preocupações do dia a dia. Ao se preparar para deitar, use roupas confortáveis. As peças de roupas mais apertadas podem distraí-lo ou deixá-lo desconfortável.

Em seguida, deite-se em uma posição em que consiga ficar bem tranquilo. Esse é um dos passos mais importantes para se conseguir um relaxamento mental e corporal.

PREPARE O AMBIENTE: o corpo se adapta melhor ao sono em um ambiente totalmente escuro. Isso acontece porque o hormônio do sono natural, a melatonina, é produzida quando você está em um local totalmente escuro. Ao se preparar para dormir, apague todas as luzes. Evite o uso de televisão, celular e computador, de preferência, trinta minutos antes do horário que pretende dormir.

ESVAZIE A MENTE: uma técnica que pode ajudar muito a pegar no sono é a auto-hipnose, como apresentamos anteriormente. Nesse método, você foca em si mesmo, na respiração e nas sensações corporais com o objetivo de se acalmar para poder relaxar a mente e conseguir pegar no sono mais facilmente.

Comece prestando atenção na sua respiração e visualizando lugares relaxantes. Se tiver dificuldade em tirar os pensamentos do dia da cabeça, tente se concentrar em relaxar cada parte do corpo.

LIBERE A TENSÃO DO CORPO: comece a relaxar a tensão pelos dedos do pé e vá subindo até a cabeça. Mova ou flexione cada parte do seu corpo de maneira que você possa senti-los em movimento. Depois, relaxe a parte que contraiu, liberando qualquer tensão que estiver sentindo.

Continue fazendo esse processo de contração e relaxamento com todas as partes do seu corpo, enrijecendo-o e, em seguida, liberando a tensão em cada músculo. Suba dos pés até o topo da cabeça, concentrando-se nos pés, calcanhares, joelhos, pernas, quadris, costas, peito, ombros, dedos, mãos, antebraços, cotovelos, braços, pescoço, nuca, maxilar, rosto, boca, olhos e orelhas.

RESPIRE PROFUNDAMENTE: quando o corpo estiver bem relaxado, você pode dar início aos exercícios de respiração. Não se esqueça de fechar os olhos, pois, dessa forma, evita a distração da visão e é mais fácil visualizar os lugares relaxantes aos quais o cérebro pode conduzir você. Inspire profunda e longamente, sentindo o ar encher os pulmões. Expire devagar e lentamente, sentindo o ar saindo dos pulmões. Concentre-se no seu tórax e na forma como sente a respiração saindo do corpo. Deixe a mente se concentrar por completo na respiração ao passo em que o ar entra e sai lentamente do corpo.

Abra a boca suavemente e relaxe os músculos do maxilar. Não force sua respiração. Apenas permita que ela continue de maneira fácil, tranquila e sem esforços. Sinta o corpo relaxar no colchão após cada entrada e saída do ar da respiração. O efeito da hipnose é muito parecido ao da meditação profunda, que parece com um sentimento de remoção do corpo físico.

VISUALIZE UM LUGAR RELAXANTE: após conseguir tranquilizar o corpo e obter o controle da respiração, vamos iniciar a fase de fantasia do sono. Para isso, vamos pensar que estamos descendo os degraus de uma escada que vai nos levar a um lugar calmo, relaxante e muito seguro, pense no lugar ou na situação mais tranquilizante que puder.

Pode ser uma praia em pleno verão, um campo de flores em um lindo dia de sol, uma cabana com uma lareira nas montanhas em um dia frio ou até mesmo uma rede no quintal da casa em que você cresceu.

Mergulhe nesse lugar relaxante, imaginando-se nele. Tente sentir o cheiro e os sons. Quanto mais detalhada for essa imagem criada na sua mente, mais relaxado você vai ficar.

Estudos comprovam que concentrar-se em uma imagem criada pelo cérebro diminui as ondas beta e aumenta as ondas alfa e theta, resultando em sentimentos de tranquilidade e sonolência, facilitando o adormecer.

ESCOLHA UM SENTIMENTO: se for difícil visualizar algum lugar específico, crie palavras ou sentimentos para ajudá-lo a pegar no sono mais facilmente. Experimente expressões tranquilizantes e suaves, como *repouso*, *calma*, *bonita*, *gratidão*. Repita a palavra em cada expiração, concentrando-se no significado dela para sua vida.

Foi comprovado que o relaxamento e a força da sugestão da nossa mente controlam atividades em regiões especializadas do cérebro, permitindo que você reprograme efetivamente os seus padrões de pensamento. Nesse caso, você consegue reduzir os pensamentos estressantes enquanto aumenta os pensamentos relaxantes antes de dormir.

O cérebro humano é muito suscetível à sugestão, e repetir uma expressão afirmativa pode causar um efeito duradouro no seu subconsciente.

VOCÊ PODE TAMBÉM FAZER UMA GRAVAÇÃO DE HIPNOSE PARA USAR QUANDO QUISER DORMIR: caso nenhuma das opções anteriores tenha funcionado adequadamente, tente fazer uma gravação de auto-hipnose. Pode ser difícil se lembrar de todos os passos, caso você esteja começando, e pausar para checar os que esqueceu pode tirar você do momento relaxante.

Grave-se explicando cada passo acima. Tente experimentar diferentes sugestões e imagens, fazendo gravações diferentes para situações e palavras diversas. Inclua suas expressões positivas ou afirmativas para ouvi-las e se lembrar de dizê-las durante a hipnose. Escute a gravação enquanto tenta dormir. Pesquisas sugerem que ouvir uma gravação que estimule o ouvinte a "dormir mais profundamente" pode ajudar a melhorar o descanso e o sono profundo.

PRATIQUE: essas atividades, embora pareçam simples e fáceis, não vão funcionar da noite para o dia. Você pode precisar de tempo para se acostumar com as técnicas de relaxamento; por isso, não se preocupe se elas não funcionarem imediatamente assim que começou. Você vai dominá-las melhor a cada dia. Quanto mais guardar imagens na memória e aprender a pensar no seu lugar relaxante antes de dormir, mais realista ele vai se tornar.

Depois de um tempo, é provável que você durma mais rápido e melhor a cada noite. Você pode tentar as mesmas técnicas caso fique acordando durante a noite. Elas podem ajudar você a voltar a dormir tão facilmente como o ajudam a pegar no sono no começo da noite.

Mas como fazer para desligar do mundo virtual o jovem rebelde que não quer dormir?

Na nossa época de adolescência, mesmo que tivéssemos a pretensão de permanecer acordados até mais tarde, em determinado momento tudo ficaria um tédio e com certeza acabaríamos adormecendo. Sem TV a cabo, internet, Netflix e redes sociais, a programação do dia se encerrava em determinado horário, o rádio tinha um conteúdo noturno bem monótono e não era legal ligar para os amigos altas horas da noite.

Hoje em dia os tempos mudaram. Em termos de agitação noturna, o mundo atual não tem mais a noção de dia e noite. Até desenho animado passa na

TV durante toda a madrugada! As redes sociais, aplicativos de mensagens, milhares de assuntos no Google, nada desliga durante a noite. Com um celular à mão, a criança e o adolescente têm o mundo todo em sua cama na hora de ir dormir. Como, então, conseguir apertar a tecla *off* dos nossos filhos?

Em primeiro lugar, não espere que os adolescentes aceitem as regras impostas pelos adultos. É importante que haja diálogos, argumentos, mas sem esperar que seja um processo de convencimento de que é necessário parar de navegar na internet ou nas redes sociais para dormir.

É importante que os horários e limites sejam preestabelecidos bem antes do fim do dia, já que a rotina da noite não implica somente em deitar na cama, inclui também todas as atividades que precisam ser feitas até a hora de dormir, como as tarefas escolares, as responsabilidades atribuídas ao jovem dentro de casa (por exemplo, arrumar o quarto), as atividades habituais, como jantar, banho e higiene pessoal. Todas essas coisas fazem parte do dia e levam um tempo para serem executadas.

Não espere um sorriso no rosto do adolescente no cumprimento dessas obrigações. Com o tempo, nos convencemos de que a vida é permeada de momentos prazerosos e outros nem tanto assim. Entretanto, não espere que essa conclusão aconteça em plena puberdade.

O fato é que não haverá, por parte dos pais, argumentação convincente para que desliguem o computador ou se desconectem da internet. Então é melhor que o combinado seja o de cumprir primeiro as tarefas e somente depois ter os momentos de lazer.

Essa é uma oportunidade de estimular o jovem a aprender a gerenciar o seu tempo durante o dia. A hora de dormir é X, ou seja, terminando tudo mais rápido (e claro, com qualidade) ele terá mais tempo para curtir o resto do tempo que sobra do seu dia.

Noites maldormidas geram prejuízos importantes na saúde dos adolescentes, que, nessa fase, necessitam de mais horas de sono que os adultos. No adolescente existe uma explosão da liberação dos hormônios. O hormônio do crescimento é liberado durante o sono, principalmente nas fases de sono profundo, então é natural que alguém nessa faixa etária necessite dormir mais.

O DIA A DIA, A CONVERSA COM OS AMIGOS, O RENDIMENTO NA ESCOLA, O TRABALHO, A ALIMENTAÇÃO, A PRÁTICA DE EXERCÍCIOS E ATÉ MESMO O HUMOR DEPENDEM MUITO DA QUALIDADE DO SONO DE CADA INDIVÍDUO.

Unindo o planejamento e a execução desse elo na corrente, podemos dar a certeza de que mente e corpo estarão felizes e gratos.

Agora é a hora de você criar o seu Plano de Sono Restaurador. Disponibilizamos aqui uma tabela para ajudá-lo a montar o seu Plano de Sono Restaurador pessoal e o da sua família.

PLANEJAMENTO DE SONO RESTAURADOR		
DIA DA SEMANA	**HORA DE DEITAR**	**HORA DE ACORDAR**
SEGUNDA		
TERÇA		
QUARTA		
QUINTA		
SEXTA		
SÁBADO		
DOMINGO		

MAS COMO APLICAR TUDO ISSO EM FAMÍLIA?

Em relação ao sono da nossa família, precisamos prestar atenção em alguns pontos e deixar bem clara a importância de dormir adequadamente, e que esse processo vai se realizar de maneira muito mais fácil e tranquila se toda a família participar.

Precisamos definir horários para que todos possam estar na cama para dormir, e qual o horário que precisamos acordar no outro dia, levando-se em conta a necessidade de dormir pelo menos de seis a oito horas todas as noites.

Aproximadamente duas horas antes do horário combinado com a família para dormir, cada participante é estimulado a pegar caneta e papel ou uma agenda e fazer a sua lista de prioridades para o dia seguinte. Quando escrevemos a programação do outro dia, o nosso cérebro entende que estamos com todos os problemas sob controle, e que não precisamos ficar nos preocupando ou lembrando deles antes de tentar pegar no sono.

Em torno de trinta minutos antes de deitar, todos começam o processo de higiene do sono, ou seja, vamos reduzir todas as luzes, escovar os dentes, tomar um banho relaxante, diminuir sons e barulhos, desligar a televisão e o computador e nos desconectar, até de manhã, do WhatsApp e também de todas as redes sociais. Podemos fazer uma oração em família ou até mesmo ler uma história.

Esses pequenos ajustes podem melhorar de maneira significativa a quantidade, mas principalmente a qualidade de sono de todos os membros da família.

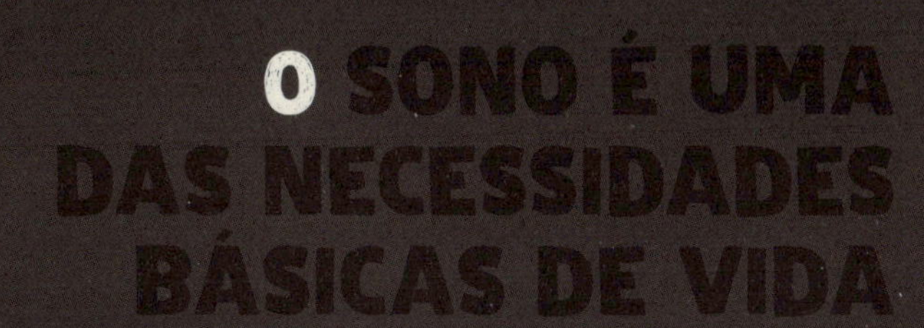

O SONO É UMA
DAS NECESSIDADES
BÁSICAS DE VIDA
E ESSENCIAL PARA
TODAS AS CRIANÇAS
E ADOLESCENTES
PARA O CRESCIMENTO
E DESENVOLVIMENTO
SAUDÁVEL.

CAPÍTULO 12

CONTROLE EMOCIONAL FAMILIAR, EMOÇÃO × RAZÃO

Com a correria do cotidiano e as múltiplas atividades, nem sempre é fácil dar atenção a todos os aspectos do desenvolvimento das crianças. Nesse contexto, muitas vezes, manter a saúde emocional na família se torna um desafio. Porém, mesmo não sendo uma tarefa fácil, o esforço vale muito a pena. O lar é o lugar onde acontecem as primeiras interações sociais que são importantes para o desenvolvimento físico, cognitivo e emocional de uma criança. Por isso é fundamental que todos os membros estejam envolvidos e preocupados em conviver de maneira agradável e sadia.

Para alcançar saúde e qualidade de vida, devemos ir além de uma alimentação saudável, da prática de atividades físicas regulares e de um sono de qualidade; é preciso manter o equilíbrio do corpo, da mente e do espírito.

Nós, seres humanos, somos dotados de emoções que estão presentes em todos os instantes da nossa vida. É assim na infância, na adolescência (quando elas se afloram e presenciamos um verdadeiro turbilhão), na fase adulta e até na velhice.

Não importa a idade ou a situação, os sentimentos sempre vão nos acompanhar. Eles podem ser positivos e negativos, previsíveis ou chegar de surpresa. Alguns de nós podem ter mais facilidade em expressá-los, enquanto outros tentam escondê-los.

Ter a gestão dos nossos sentimentos é muito importante para que possamos nos compreender melhor, ressignificar sensações ruins e respeitar os próprios limites em diferentes situações.

A palavra "emoção" vem do latim ex movere, que quer dizer "mover para fora". Isso faz muito sentido, uma vez que demonstrar nossos sentimentos e emoções nada mais é do que colocar para fora ou expressar o que se passa no nosso interior.

A emoção é uma sensação que pode causar impactos físicos e pode ser provocada por diferentes estímulos. Eles podem ser sentimentos ou alguma situação específica. Experimentar uma emoção, no entanto, é algo bastante particular de cada pessoa: assim como você pode senti-la de uma forma, outra pessoa pode vivenciar de uma maneira totalmente diferente.

A alegria, por exemplo, pode ser expressa por reações físicas, como um sorriso e o aumento da frequência cardíaca, assim como alteração na respiração e até mesmo choro.

VOCÊ JÁ PAROU PARA PENSAR QUANTAS SÃO E QUAIS SÃO AS PRINCIPAIS EMOÇÕES QUE SENTIMOS?

Um grupo de cientistas da Universidade de Berkeley, nos Estados Unidos, fez um estudo sobre o assunto e obteve importantes informações. Depois de observarem mais de 2 mil vídeos na internet que demonstravam as reações humanas e pedirem que eles fossem assistidos por 853 pessoas, os pesquisadores chegaram à conclusão de que nós somos capazes de expressar 27 tipos de emoções:

1. ADMIRAÇÃO;
2. ADOÇÃO;
3. ALÍVIO;
4. ANSEIO;
5. ANSIEDADE;
6. APRECIAÇÃO ESTÉTICA;
7. ARREBATAMENTO;
8. CALMA;
9. CONFUSÃO;
10. DESEJO SEXUAL;
11. DOR EMPÁTICA;
12. ESPANTO;
13. ESTRANHAMENTO;
14. EXCITAÇÃO;
15. HORROR;
16. INVEJA;
17. INTERESSE;
18. JÚBILO;
19. MEDO;
20. NOJO;
21. NOSTALGIA;
22. RAIVA;
23. ROMANCE;
24. SATISFAÇÃO;
25. SURPRESA;
26. TÉDIO;
27. TRISTEZA.

TEORIA DAS EMOÇÕES BÁSICAS

Essa importante teoria define a alegria, a raiva, o medo e a tristeza como as quatro emoções que todas as pessoas sentem. Elas são básicas e, a partir delas e das suas combinações, surgem todas as outras emoções mais complexas. A designação "básicas" tem a ver com os cientistas acreditarem que elas são fundamentais para a nossa sobrevivência.

QUAL A DIFERENÇA ENTRE EMOÇÃO E SENTIMENTO?

Na verdade, existem pequenas diferenças, ainda que sutis. Enquanto o sentimento é mais voltado para o nosso interior, a emoção é a forma pela qual essa sensação é demonstrada externamente. Podemos afirmar que expressar emoções é sinal de ter sentimentos.

Muitas pessoas acreditam que todas as emoções acontecem de maneira involuntária e, para algumas, pode até ser que seja assim. No entanto, pode ser diferente. É de fundamental importância sabermos controlar o que sentimos. Trata-se de uma maneira de autoconhecimento e entender o que se passa dentro de si mesmo. Controlar nossos sentimentos tem tudo a ver com uma competência chamada inteligência emocional, também chamada de QE (quociente emocional). Inclusive, ao desenvolvê-la e conhecê-la melhor, é possível administrar o que sentimos e usar todas essas emoções a nosso favor.

A MAIORIA DE NÓS NÃO SABE DEFINIR O QUE É FELICIDADE

Quando falamos em felicidade, para alguns é algo para ser alcançado em algum momento; para outros é um estado de vida que se manifesta todos os dias, independentemente das circunstâncias.

Um ponto importante é o fato de que as pessoas se apegam às condições materiais, como se só depois de conseguir algo material, como pagar o apartamento, passar no vestibular, comprar um carro ou ganhar na loteria, fosse acontecer a tão esperada felicidade. Esse problema muitas vezes começa a acontecer desde cedo na nossa vida, quando pensamos que o vazio interno pode ser preenchido com coisas externas, e muitas crianças e adolescentes começam a manifestar sinais de consumismo exagerado quando, na verdade, o que os está incomodando é um vazio interior; mas, como não conseguem perceber ou distinguir, acham que comprando coisas ou objetos serão mais felizes.

O problema desse pensamento é a ideia de que a felicidade só pode ser alcançada ao eliminar o sofrimento. Mas justamente eliminar a dor e os problemas não significa necessariamente ser mais feliz.

Precisamos entender que a felicidade é uma decisão pessoal e pode ser aprendida desde cedo, não depende das circunstâncias, apenas de nós mesmos e do nosso olhar para a vida. As pessoas felizes não vivem em um paraíso e não estão imunes aos problemas. No entanto, decidiram focar nos aspectos que lhes dão alegria e satisfação, focar no que têm no momento (gratidão) e não no que desejariam ter.

Para algumas pessoas, é natural ver os acontecimentos de maneira positiva e focar menos no negativo, ou mesmo transformar o negativo em condição para crescimento.

Mas, para outras, pensar dessa forma é muito difícil. A boa notícia é que é possível aprender a ter essa atitude. Temos algumas perguntas que podem nos ajudar nesse caminho, quando praticadas rotineiramente:

1. **Quais motivos tenho para agradecer hoje?**

A gratidão é um dos pilares da felicidade. O mais importante é encontrar razões para agradecer, mesmo em meio à adversidade. O mundo se enche imediatamente de cor quando se está inundado de gratidão.

____

____

____

____

2. **O que me faz feliz?**

Pense nas atividades e pessoas que realmente lhe trazem alegria, verdadeira satisfação e fazem você se sentir vivo. Esse deve ser o objetivo: ser consciente do que causa felicidade e não focar no que se deseja ou no que evita a dor.

____

____

____

____

3. **Quais progressos eu fiz na minha vida até este momento?**

A desmotivação acontece quando o foco está apenas nos fracassos. De vez em quando, olhe para trás e reconheça o que foi alcançado. Com certeza há progressos. Às vezes, porém, são menosprezados ou não reconhecidos.

4. **Quem me ama?**

Nos momentos em que se sentir sozinho, lembre-se de que existem pessoas que querem o seu bem. Pode ser um familiar, um amigo ou mesmo um professor. O carinho e amor dessas pessoas bastam para recuperar a alegria em um dia de tristeza.

5. **A quem eu posso ajudar hoje?**

Normalmente a felicidade nos escapa entre os dedos por ficarmos muito centrados em nós mesmos. O ato de ajudar o outro nos faz encontrar a nossa melhor versão. Ver os outros felizes também nos deixa feliz.

6. **O que posso fazer pelo mundo?**

Pessoas que se envolvem em causas e se superam como indivíduos se sentem mais plenas, satisfeitas e felizes. Todos nós podemos contribuir para mudar o mundo, não importa se for algo grande ou pequeno. Esse ato pode trazer o sentido da sua vida que estava oculto até então.

Lembrando a terceira Lei de Newton, toda ação corresponde a uma reação de mesma intensidade, porém no sentido contrário: se eu semeio amor, recebo amor de volta; se levo alegria às pessoas, recebo tudo isso de volta; porém, se levo coisas ruins… já sabe o resultado, não é?

____

____

____

____

7. Quais são as minhas opções?

Sempre temos o poder de decidir. Por isso, independentemente de quão obscuro o horizonte pareça, sempre avalie suas opções. Persista e encontrará alternativas. O simples fato de escolher um caminho diferente do preestabelecido pode ser uma fonte de felicidade.

____

____

____

____

____

Precisamos nos lembrar de que a felicidade está dentro de cada um e se revela mesmo nos piores momentos, quando a atitude é a de não perder para os problemas e se erguer mais forte, sendo feliz agora.

É importante manter a mente ocupada com pensamentos positivos e ter sentimentos bons, porém é fácil ficar nesse estado quando tudo vai bem.

Mas como reagir quando nos deparamos com as adversidades do mundo? E como nossos filhos, ainda crianças e adolescentes, reagirão com um insucesso escolar, um amor não correspondido, um *bullying* na escola? Se não houver algo que possa ajudá-los a manter o rumo, perder o controle pode ser uma consequência. Precisamos demonstrar para eles a importância da união familiar, mas também a necessidade de ter fé e pensamentos positivos, de que isso é só um momento ruim e que vai passar.

Precisamos desde cedo demonstrar para nossos filhos que a felicidade autêntica não está ligada a uma ação, a uma atividade, mas é um estado de ser, um profundo equilíbrio emocional decorrente de uma sutil compreensão do funcionamento da mente e principalmente de parar um pouco e perceber toda a felicidade que nos cerca. Enquanto os prazeres se produzem no contato com objetos agradáveis e terminam quando esse contato se interrompe, o bem-estar duradouro é sentido ao longo de todo o tempo em que permanecemos em harmonia com nossa natureza interior.

Viver intensamente tornou-se o objetivo do mundo moderno. Todos têm uma hiperatividade compulsiva, sem qualquer pausa, sem brecha de tempo não agendado, por medo de se encontrar consigo mesmo. Pouco importa o significado da experiência, desde que ela seja intensa.

É PRECISO ARRISCAR A VIDA POR AQUILO QUE NÃO VALE A PENA SER VIVIDO. SUPERAR-SE PARA IR A LUGAR NENHUM.

Temos muito medo de olhar para nós mesmos. Estamos completamente focados no mundo exterior, na maneira como vivenciamos os cinco sentidos.

Parece ingênuo acreditar que uma busca tão febril de experiências intensas possa levar a uma qualidade de vida rica e duradoura.

Se dedicamos algum tempo para explorar nosso mundo interior, só o fazemos sonhando acordados, fixados na imaginação e no passado ou fantasiando sobre o futuro. Um sentimento genuíno de realização, associado à liberdade interior, também pode oferecer intensidade a cada momento da vida, mas de um tipo muito diferente.

Trata-se de uma experiência de bem-estar interior, que brilha na beleza de cada coisa. Por isso é muito importante levar esses preceitos para nossos filhos desde pequenos.

Para que isso ocorra, é preciso saber desfrutar o momento presente, com vontade de alimentar o altruísmo e a serenidade, trazendo para o amadurecimento a melhor parte de nós; modificar a si mesmo, para melhor transformar o mundo.

Um estudo datado de 1978[58] comparou 22 pessoas que ganharam na loteria, 22 normais (que não tinham ganhado dinheiro) e 29 que se tornaram pessoas com deficiência após um acidente. No início, quem ganhou na loteria relatava ser mais feliz do que as pessoas que tinham passado por acidentes.

No grupo de controle, com pessoas normais, 3,8 em cada 5 pessoas afirmavam ser felizes, não muito diferente do grupo que ganhou na loteria. No entanto, os novos milionários ficavam menos felizes com o que os pesquisadores chamaram de "prazeres mundanos", aspectos do dia a dia como tomar café da manhã ou conversar com um amigo.

58 BRICK, A. N., P.; COATES, D.; JANOFF-BULMAN, R. Lottery winners and accident victims: Is happiness relative? **Journal of Personality and Social Psychology**, v. 36, n. 7, p. 917–927. Disponível em: https://psycnet.apa.org/record/1980-01001-001?doi=1

Os pesquisadores ficaram surpresos ao perceber que o grupo das pessoas que tinha ganhado na loteria não era significativamente mais feliz do que os não ganharam nada, e que mais da metade do grupo de pessoas que sofreram acidentes se sentia feliz seis meses após o evento.

A felicidade se manifesta como satisfação com a vida, em seus variados aspectos (relacionamento afetivo e familiar, amizades, segurança financeira, relações sociais organizadas, vida profissional, uso do tempo de lazer etc.), e depende muito do que é considerado importante para cada pessoa. O sucesso em algum desses aspectos (ou em vários deles), entretanto, não é, por si só, garantia de felicidade. Muitas pessoas vivem o "dilema da insatisfação": simplesmente não se sentem satisfeitas, apesar de terem boas condições de vida. Todos sabemos como a nossa sociedade de consumo é esperta e incansável em inventar um sem-número de prazeres fictícios e em desenvolver estimulantes com o propósito de nos manter em estado constante de tensão emocional que na verdade nos leva a um tipo de anestesia mental.

Eles estão tentando roubar a nossa mente e a de nossos filhos. Há uma clara diferença entre a verdadeira alegria, que é a manifestação natural do bem-estar, e a euforia ou exaltação causadas por excitações passageiras. Qualquer excitação superficial que não esteja ancorada em um contentamento duradouro, quase invariavelmente, é seguida pelo desapontamento.

Precisamos exercitar a nossa mente e aprender a controlar os nossos pensamentos, usando-os a nosso favor. Nem sempre podemos mudar as circunstâncias externas, mas podemos mudar o modo de encará-las. Precisamos desenvolver o hábito de reservar de dez a vinte minutos pela manhã para meditar, fazer uma oração ou pensar em coisas positivas. Nosso cérebro funciona como um músculo: se exercitado, melhora suas funções; se não utilizado adequadamente, enferruja.

Precisamos ensinar desde cedo aos nossos filhos que as emoções influenciam todo o funcionamento do nosso organismo e da nossa saúde. Os problemas que enfrentamos no dia a dia prejudicam a nossa energia. Esse desarranjo energético acaba afetando algum lugar específico do organismo, iniciando o processo de adoecimento, ou seja, muitas doenças poderiam ser evitadas se conseguíssemos avaliar adequadamente os nossos sentimentos e emoções.

VALIDAÇÃO DOS NOSSOS PENSAMENTOS

Temos que começar a tornar os nossos pensamentos conscientes, temos que entender que nós somos como o céu, e os nossos pensamentos são como as nuvens – o céu, independentemente das nuvens, sempre está lá; já as nuvens, claras ou escuras, vêm, ficam um tempo no céu e depois se dissipam. Você deve reconhecer o surgimento desses pensamentos na sua mente e parar de lutar contra eles; assim perceberá que eles vêm e vão por si próprios e descobrirá que você não é seus pensamentos.

Tudo na nossa mente se inicia com um pensamento, positivo ou negativo, que por sua vez vai influenciar as emoções. Essas emoções levam à ocorrência de sensações físicas no nosso corpo.

Por exemplo, imagine que está em uma pescaria muito agradável em uma manhã de domingo com seus filhos, pegando muitos peixes, feche os olhos por trinta segundos, depois perceba as emoções que esse pensamento positivo gera na sua mente, como alegria e felicidade, que, por sua vez, geram sensações físicas no corpo, como relaxamento, um sorriso nos lábios.

Em vez disso, tente imaginar que está sofrendo um acidente de trânsito com todos seus familiares dentro do carro, feche os olhos por trinta segundos e perceba como esse pensamento ruim gera na sua mente emoções negativas, como medo, angústia, insegurança, que, por sua vez, levam a sensações físicas no corpo, como tensão muscular, elevação da adrenalina, como se estivesse pronto para uma briga.

Esses dois pensamentos nunca aconteceram, mas geraram emoções e sensações físicas no seu corpo.

A raiz de todos os pensamentos vem única e exclusivamente de dois sentimentos: o medo e o amor. Qualquer sentimento negativo tem origem no medo, que é gasoso e preenche todos os espaços onde não existe amor. Já o amor é a origem de todos os sentimentos positivos, ele é sólido e empurra o medo para longe.

Podemos ensinar aos nossos filhos que, quando temos algum pensamento negativo, antes de deixá-lo virar uma emoção negativa e uma sensação física negativa, devemos questionar: eu estou com medo de quê? Quando fazemos isso, nos colocamos no controle da situação, pois podemos identificar os nossos medos e tentar neutralizá-los, na maioria das vezes com atitudes baseadas no amor.

Se consigo gerenciar os meus pensamentos, acabo com praticamente todas as minhas preocupações e, por consequência, com um dos maiores males do século: a ansiedade.

ATENÇÃO PLENA

Um estudo de Harvard publicado na revista *Science* mostrou que a mente do ser humano fica ocupada em pensamentos de pouca importância em média 47% do dia. Ou seja, se você trabalha ou estuda durante oito horas diárias, em praticamente quase quatro horas do expediente você não está totalmente concentrado nas suas responsabilidades. E é aqui que a atenção plena (ou, como conhecido em inglês, *mindfulness*) faz a diferença, pois, com técnicas simples que utilizam apenas alguns minutos do seu dia, o treino de atenção plena é capaz de proporcionar mudanças significativas e rápidas na rotina e na qualidade de vida de qualquer pessoa.

E o mesmo acontece com crianças e adolescentes, que muitas vezes captam mais estímulos do que os adultos e, por isso, é comum pais notarem vários momentos em que os filhos estão dispersos mesmo dentro das tarefas escolares, lendo, vendo TV ou realizando outras atividades que exijam atenção. Assim, o grande objetivo da atenção plena para as crianças e os adolescentes é aumentar a concentração e o amadurecimento cerebral deles, com ótimos ganhos que serão notáveis até a fase adulta.

Em resumo, a atenção plena é uma técnica de treinamento para se manter consciente nos momentos e nas ações do presente e no que está acontecendo naquele exato minuto, sem deixar a mente se preocupar com o futuro que ainda não chegou e muito menos se apegar a pensamentos do passado com os quais nada podemos fazer a não ser guardar os ensinamentos. É uma espécie de meditação, mas que não tem como intuito esvaziar a mente, e sim focá-la no momento presente, aqui e agora.

Para se ter dimensão da eficácia da atenção plena, é cientificamente comprovado que a prática é capaz de aliviar doenças psicológicas, como ansiedade e depressão, além de manter nosso cérebro mais jovem e criativo por muito mais tempo.

A ATENÇÃO PLENA CONSISTE EM UTILIZAR SEUS CINCO SENTIDOS, QUANDO POSSÍVEL, AO PRATICAR UMA AÇÃO DURANTE O DIA, COMO TOMAR UM CAFÉ, OUVIR UMA MÚSICA, FAZER UM CARINHO NO SEU FILHO.

A atenção plena não exige nada de especial, além do que o próprio nome sugere: atenção. Você só precisa estar completamente consciente do momento presente enquanto realiza qualquer tipo de tarefa. A prática da atenção plena exerce uma influência poderosa sobre a saúde, o bem-estar e a felicidade.

Com o tempo, ela provoca mudanças de longo prazo no estado de humor, nos níveis de felicidade e de bem-estar, no rendimento escolar, na vida familiar e também ajuda a prevenir a depressão e a ansiedade (dois grandes males do mundo moderno).

EXERCÍCIO: DESENVOLVIMENTO DA ATENÇÃO PLENA PARA PAIS E ADOLESCENTES

Pare um momento do dia e concentre toda a sua atenção em um objeto de sua escolha. Se preferir, concentre-se em alguma parte do próprio corpo ou em um alimento de que goste muito.

Ao fazer isso, a sua mente pode começar a divagar. Cada vez que for perdendo o foco, traga-o com delicadeza de volta ao objeto que escolheu, como uma borboleta que retorna para a flor da qual retira seu alimento.

Perceba com os cinco sentidos: o que você vê nesse objeto ou nessa comida? O que você sente ao tocá-lo? Qual o cheiro? Ele o lembra de algo? Emite algum som? Tem algum gosto característico?

Passamos grande parte do tempo perdidos, desligados, sem notar o que se passa à nossa volta. A correria do mundo nos absorve de tal forma que destrói nossa percepção do agora, forçando-nos a viver mais no mundo dos nossos pensamentos do que no mundo real.

As pessoas que praticam atenção plena ficam menos ansiosas e estressadas, assim como mais relaxadas, realizadas e energizadas. A vida não apenas parecerá mais longa quando você desacelerar, quando estiver realmente presente, ela será mais feliz também. Eis a essência da atenção plena: acordar para o que está acontecendo no mundo e dentro de si, momento a momento.

EXERCÍCIO PARA DESENVOLVIMENTO DA ATENÇÃO PLENA EM CRIANÇAS E ADOLESCENTES

RESPIRAÇÃO CONSCIENTE: sentado de modo confortável no chão, em uma cadeira ou em um sofá, e com a coluna ereta, comece fechando os olhos. Agora de olhos fechados, comece a encher e esvaziar os pulmões de ar. Você deve incentivar seu filho a se concentrar no movimento que o corpo faz ao respirar e prestar atenção apenas nisso, desligando por um momento todos os pensamentos.

No início, ele pode achar que é difícil, mas com persistência e prática constante a atividade ficará mais divertida e as vantagens poderão ser percebidas no comportamento dele em alguns dias.

PERGUNTE AO SEU FILHO SOBRE PENSAMENTOS: uma maneira de treinar a atenção plena do seu filho, sendo esse o objetivo da prática para crianças e adolescentes, é pedir que ele descreva seus pensamentos. Esse exercício, além de trabalhar o raciocínio e a concentração, é uma forma de analisar o nível de ansiedade e agitação que ele pode estar sentindo naquele momento, para assim acalmá-lo e depois acrescentar outras técnicas relaxantes, como a atividade de respiração que foi vista anteriormente.

BRINCADEIRAS DE ADIVINHAÇÃO OU MÍMICA: dinâmicas que precisam de uma atenção mental fixa para descrição ou adivinhação são ótimas formas de praticar a atenção plena para crianças e adolescentes de maneira animada. O jogo pode ser feito com mímica, ou então é possível brincar de adivinhações: por exemplo, você retira um elemento do cômodo em que estão e depois pergunta a ele o que está faltando no local. Ambas as atividades estimulam o cérebro e exigem foco, mantendo seu filho concentrado no momento presente.

Um jogo que fazíamos quando crianças, e que muitos pais adoram, é o de ver desenhos nas nuvens e perguntar ao filho o que ele está enxergando no céu. Aqui a criatividade e a atenção plena serão fundamentais, garantindo que o *mindfulness* seja praticado sem ficar monótono.

PRÁTICA DA GRATIDÃO: ensine seu filho a desenvolver a gratidão pelas pequenas coisas do dia a dia, como durante as refeições, os momentos em família, os presentes recebidos em datas festivas, os amigos da escola ou algum fato legal daquele dia, mesmo que seja um acontecimento simples, podendo até mesmo ser o açaí que ele tomou ou o filme que pôde assistir na televisão.

A ideia é tentar desviar a gratidão dos bens materiais nesse exercício de atenção plena, pois isso ajudará seu filho a ser equilibrado e estável durante circunstâncias difíceis da vida e até mesmo durante crises financeiras.

DESCREVENDO O SEU DIA A DIA: os problemas relacionados à insônia infantil têm aumentado consideravelmente devido ao excesso de estímulos tecnológicos, como smartphones, videogames e computadores. E uma maneira de ajudar seu filho a se desligar um pouco de toda essa tecnologia e praticar a atenção plena, enquanto você também curte esse tempinho off-line e longe das preocupações do trabalho, é pedindo que ele relate as atividades ou fatos que aconteceram no dia com detalhes. A dica é orientá-lo a descrever desde a ida ao banheiro quando acordou até o momento antes de ir para a cama. Isso obriga o cérebro dele a se concentrar nas atividades diárias pois sabe que os pais podem perguntar-lhe durante a noite.

REFEIÇÕES SEM DISTRAÇÕES: cada vez mais nossos jovens estão conectados na televisão ou nos smartphones, assistindo a vídeos, jogando games, interagindo nas redes sociais, durante as refeições ou durante os estudos, o que é um grande problema. Uma maneira de corrigir essa situação e ensinar seu filho a estar 100% presente no momento é aplicando uma das principais técnicas da atenção plena, que pede para observarmos a cor dos itens que estão no prato, o gosto, os ruídos ao mastigar e a textura dos alimentos. Para deixar as refeições ainda mais divertidas, experimente criar desenhos com alimentos no prato utilizando saladas, vegetais, grãos, ovos e carnes para fazer um animal, por exemplo. É muito importante pedir a seu filho que monte o prato dele e assim ter sua atenção plena tanto na elaboração quanto na hora de comer.

A atenção plena em qualquer idade é uma técnica fácil de ser colocada em prática e que faz toda a diferença no desenvolvimento do ser humano. Ou seja, razões para incluir na rotina dos seus filhos é o que não faltam.

E o melhor é que existem muitos ganhos também para os pais, pois, com a sobrecarga digital cada vez mais presente dentro dos lares, ter uns minutinhos de relaxamento, interação, atenção e foco no momento presente, sem ansiedade com o futuro, é fundamental para que as famílias voltem a desenvolver laços afetivos sólidos e nossos filhos vivam melhor, tornando-se adultos mais atentos, tranquilos e pacientes.

MEDITAÇÃO

A lista de benefícios proporcionados pela prática da meditação não encontra limites. A técnica milenar ajuda a disciplinar e acalmar a mente, trazendo mais controle emocional e aumentando nossa capacidade de concentração. É um ótimo exercício para ajudar a nós e aos nossos filhos a lidar com as emoções.

Existem técnicas para todos os tipos de perfil: dá para meditar com os olhos abertos, apreciando uma imagem bonita, pronunciando palavras positivas ou simplesmente em silêncio, em um lugar calmo e tranquilo.

O tempo para sentir todas os benefícios varia de uma pessoa para outra e tem pouca relação com a duração da prática. O que conta é a disciplina e a regularidade para criar o hábito. Precisamos entender que a meditação é equivalente ao que o exercício físico é para nosso corpo – a meditação é a ginástica da mente, com a vantagem de que bastam quinze a vinte minutos diários para desencadear várias mudanças positivas na nossa vida e na dos nossos filhos.

Devemos encarar a meditação com a mesma necessidade e finalidade que encaramos os exercícios físicos para o nosso corpo – pena que nunca ninguém nos ensinou como praticar esse exercício que faz tanto bem para o cérebro.

Meditação para crianças funciona? Temos o costume de dizer que crianças não têm nenhuma preocupação no mundo, que não têm motivos para se estressar, ficarem tristes ou angustiadas. No entanto, desde que nascemos, somos submetidos, com frequência a uma grande quantidade de informações. Elas saturam nossos sentidos, afetam diretamente a nossa mente e testam as nossas emoções.

Ainda mais na infância e na adolescência atual, um turbilhão de atividades e tarefas vai aparecendo junto da superexposição aos mais variados tipos de estímulos externos, como computadores, celulares, *tablets*, sem que tenha sido dado nenhum treinamento ou autonomia sobre a mente para lidar com as consequências de tudo isso.

Esse aumento no nível de atividade cerebral pode levar a consequências importantes na saúde física e mental durante os anos. Porém, se treinamos nossa consciência para que ela desperte desde cedo, podemos treinar a mente para o nosso bem e para um olhar mais compassivo e compreensivo do mundo.

Precisamos aprender a conviver a vida toda com a nossa mente. Ela vai determinar a forma como percebemos e enxergamos tudo ao nosso redor. Logo, o primeiro aprendizado que deveríamos receber desde os primeiros anos de vida é o de como perceber essa mente. Aprender a assistir ao fluxo de pensamentos constantes que penetra em nossa mente, entendendo os significados que damos para as aparências do mundo. Tudo isso pode ser feito de maneira mais harmônica e tranquila por meio da meditação.

TÉCNICA PARA INICIAR A MEDITAÇÃO

1. SENTE-SE COM A COLUNA RETA EM UMA ALMOFADA, NO CHÃO, OU EM UMA CADEIRA

A postura ereta o ajuda a se concentrar na respiração, inspiração e expiração, consciente. Se a cadeira tiver encosto, tente não se inclinar para trás ou relaxar a postura. Posicione as pernas da maneira que for mais confortável para você. É possível estendê-las para a frente ou cruzá-las se estiver com a almofada no chão. O mais importante é que a postura permaneça reta.

2. NÃO SE PREOCUPE COM AS MÃOS

Nas imagens, sempre vemos pessoas com as mãos sobre os joelhos enquanto meditam, mas, se for desconfortável, você não precisa fazer isso. Você pode colocá-las no colo ou deixá-las soltas ao lado do corpo. Escolha a posição que lhe permita esvaziar a mente e se concentrar na respiração. O importante não é onde você coloca as mãos, mas, justamente, não se preocupar com elas.

3. INCLINE O QUEIXO COMO SE ESTIVESSE OLHANDO PARA CIMA

Não importa se está de olhos abertos ou fechados enquanto medita, embora muitos acreditem que é mais fácil se livrar das distrações visuais de olhos fechados. De qualquer maneira, inclinar levemente a cabeça ajuda a abrir o peito e facilita a respiração.

4. PROGRAME O ALARME

Quando tiver encontrado uma posição confortável e estiver pronto para começar, programe o alarme com o tempo que deseja meditar para não precisar se preocupar com a hora. Comece aos poucos, com sessões de três a cinco minutos, e vá aumentando até chegar a um período de vinte minutos ou até mais, se achar necessário.

5. MANTENHA A BOCA FECHADA AO RESPIRAR

Você deve inspirar e expirar pelo nariz na meditação, porém não se esqueça de relaxar os músculos do maxilar, mesmo com a boca fechada. Não pressione o maxilar ou aperte os dentes; simplesmente relaxe.

6. CONCENTRE-SE NA RESPIRAÇÃO

A respiração é o pilar da meditação. Em vez de tentar não pensar nas coisas que o irritam diariamente, tenha um foco positivo: a respiração. Ao se concentrar na inspiração e expiração, você vai ver que todos os outros pensamentos sobre o mundo exterior desaparecem sozinhos.

Concentre-se na respiração da maneira mais confortável para você. Algumas pessoas gostam de manter o foco no movimento de expansão e contração dos pulmões, enquanto outras preferem pensar no modo como o ar passa pelo nariz. Outros costumam contar ao inspirar 1, 2, 3, 4, prendem o ar em 1, 2, 3, 4 e ao expirar contam 1, 2, 3, 4, 5, 6. É possível até mesmo focar-se no som da respiração. Basta entrar em um estado de espírito no qual você esteja exclusivamente concentrado em algum aspecto da sua respiração.

7. SE A ATENÇÃO SE DESVIAR DA RESPIRAÇÃO, TRAGA-A DE VOLTA

Mesmo depois de ganhar bastante experiência com a meditação, você vai descobrir que os pensamentos podem voar. Você começa a pensar no trabalho, nas contas ou nas coisas que precisa resolver depois. Sempre que perceber o mundo exterior se infiltrando, não entre em pânico. Em vez disso, volte sutilmente o foco para a sensação da respiração no corpo e deixe os pensamentos esvanecerem novamente. Você pode achar mais fácil manter o foco na inspiração do que na expiração.

8. NÃO SE COBRE EM EXCESSO

Aceite o fato de que se concentrar é difícil para iniciantes. Não se censure, pois, no começo, quase todos têm dificuldade com a voz interior que não se cala. Na verdade, alguns dizem que esse retorno contínuo ao momento presente é "prática" da meditação.

Além do mais, não espere que a prática mude do dia para a noite. Medite todos os dias por pelo menos alguns minutos, aumentando as sessões sempre que possível.

DICAS PARA COMEÇAR A PRÁTICA DA MEDITAÇÃO PARA CRIANÇAS E ADOLESCENTES

Não adianta esperar que, logo na primeira sessão de meditação, seus filhos fiquem em uma posição de lótus parados em silêncio por uma hora. É preciso estimular a prática da meditação de maneira gradual e natural, a partir de orientações que estimulem a vontade de praticá-la.

A meditação para crianças e adolescentes não pode ser vista como mais uma obrigação, mas sim como algo que vai ser incluído aos poucos na rotina, causando interesse, trazendo calma e equilíbrio para nossos filhos. Quando pequenos, temos muita energia e nos distraímos muito mais facilmente, por isso o ideal é que as sessões de meditação durem poucos minutos, acrescentando um minuto a mais para cada ano de vida. Por exemplo, se o seu filho tem 6 anos, tente parar por cinco minutos para meditar com ele.

Existe uma idade ideal para iniciar a meditação? Não, não existe uma idade ideal para começar a praticar a meditação com nossos filhos. Porém, a atividade se torna possível a partir do momento em que seu filho já consegue acompanhar uma história. Ele precisará seguir as instruções que serão guiadas e colocá-las em prática dentro do possível.

Para começar a meditação com seus filhos, tente manter um ambiente calmo, silencioso e tranquilo, sente-se em uma posição confortável com ele. O ideal é que você sente junto, de pernas cruzadas no chão, com as costas apoiadas na parede para manter a coluna ereta. Para as crianças, é mais difícil manter a coluna ereta sem uma superfície de apoio, já que geralmente são mais inquietas. Podemos também sentar com as pernas juntas e com a coluna apoiada em uma cadeira.

Depois de encontrar uma posição confortável, comece dizendo para seu filho fechar os olhos e prestar atenção na respiração, como se fosse um balão enchendo e esvaziando de ar, bem tranquilo.

Diga para ele sentir o ar entrando e enchendo todos os espaços do balão, até que o ar saia e o balão murche completamente. Apenas esse exercício de ficar em silêncio já é uma forma de ativar a consciência. Se esse silêncio estiver muito difícil de manter logo no começo, inicie a prática com uma história.

Coloque a mente do seu filho em um ambiente de que ele goste e se sinta bem: uma praia vazia ao pôr do sol, um campo com flores, sentado à beira de uma piscina rasa.

Criar um ambiente lúdico, com seres fictícios e elementos que possam atrair a atenção de seu filho é fundamental para que a meditação seja vista como algo agradável desde o começo. A ideia é que seu filho se coloque imerso na história, como se realmente estivesse lá, sentindo todas as sensações que você vai descrever, prestando muita atenção.

Para tornar isso ainda mais interessante no começo, pratique a meditação depois de um passeio na praia para contemplar a natureza, brinque com objetos que representem a fluidez, como uma ampulheta de areia, observando a areia caindo devagar. Para incentivar a atenção na respiração, fale para seu filho colocar o objeto favorito dele sobre o peito e observar como ele se movimenta enquanto ele respira.

Depois de praticar a respiração, ainda em silêncio, incentive-o a procurar sentir cada parte do corpo, do dedo do pé até a ponta da cabeça. Você pode brincar dizendo que uma luz azulada florescente entrou pelo seu dedão do pé e agora está caminhando por todo o corpo fazendo um carinho, iluminando e aquecendo cada lugar.

Com alguns minutos de meditação guiada por dia já será possível perceber os efeitos positivos na vida do seu filho, especialmente se a meditação se tornar uma prática conjunta, compartilhada pela família, frequente e leve.

EXEMPLOS DE MEDITAÇÃO GUIADA PARA SEU FILHO

A partir de agora você vai fechar os olhos e me acompanhar nessa jornada! Comece sentindo seu corpo bem confortável, as costas alongadas e o rosto com os músculos completamente relaxados. Respire tranquilamente, bem devagar, como se seu corpo fosse um grande balão que vai se enchendo à medida que você puxa o ar para dentro do corpo. Agora, vá soltando o ar devagar, como se o seu corpo fosse um grande balão a se esvaziar à medida que o ar sai de seus pulmões.

Encha o balão. Bem devagar, esvazie o balão. Repita esse processo algumas vezes.

Agora, sua mente está tranquila e pronta para fazer um belo passeio pelo mundo da imaginação. Quero lhe apresentar um amigo muito especial! Um velho mago que viajou por todo o mundo e que aprendeu muitas coisas interessantes. Com seu chapéu comprido e a barba branca, sempre foi muito respeitado por todos, em todos os lugares por onde passava, pois seus poderes mágicos, sua sabedoria e sua bondade já tinham ajudado milhares de pessoas.

Sinta! Perceba! Imagine!

Ele traz consigo uma pedra e a coloca em suas mãos e pede que a segure. Sinta a pedra com as mãos. Toque, explore, sinta a forma, a textura, a temperatura. Perceba se ela é lisa, quente ou fria, grande ou pequena. O mago pede que segure a pedra com as duas mãos e sinta tudo o que você puder perceber. Essa pedra foi encontrada por ele há muito, muito tempo. Ela traz junto de si a força de todo esse tempo: uma grande e poderosa energia!

Perceba que, quando ativada pelo toque das suas mãos, pelo poder que existe dentro de você, toda essa força se ativa e se torna mais viva do que nunca. Sinta como a pedra brilha intensamente. Perceba como ela se transforma em um lindo cristal. O cristal tem o poder de irradiar energia para todo o seu corpo! Sinta-o forte e cheio de energia! Sinta seus pensamentos tranquilos, sinta seu cérebro mais inteligente. Sinta a força que existe e brilha dentro de você.

Perceba que a energia mais poderosa do mundo também está presente dentro de você. E, sentindo toda essa magia que irradia do seu interior, permaneça em silêncio durante um minuto.

Agora, sinta novamente a sua respiração, perceba seu corpo e vá retornando aos poucos ao momento presente.

Muitos são os benefícios que a meditação traz para o corpo e a mente, e com as crianças isso não poderia ser diferente! Essa prática ajuda a melhorar a concentração, controlar a ansiedade e diminuir o estresse e a tensão, contribuindo, assim, para o desenvolvimento socioemocional e para o processo de aprendizagem dos pequenos.

COMO ENSINAR AUTOCONTROLE PARA NOSSOS FILHOS, EQUILIBRANDO A EMOÇÃO E A RAZÃO?

Para ensinar as crianças e adolescentes sobre o autocontrole, a equilibrar a razão e as emoções, precisamos primeiro aprender de verdade a nos controlar. Muitas pessoas têm sérias dificuldades para manter o autocontrole e lidar com emoções perturbadoras sem perder a linha.

Você acha que sabe expressar bem seus sentimentos, principalmente os dolorosos? Você sabe bem como controlar suas emoções e, mais importante ainda, como regular o que você está sentindo sem se reprimir?

Se essas questões são desafiadoras para nós, imagine para crianças e adolescentes em fase de formação da personalidade! Dedicar algum tempo para ensinar aos nossos filhos como controlar sentimentos é uma das coisas mais importantes e benéficas que podemos fazer por eles.

Antes de tudo, precisamos compreender e aceitar que os sentimentos das crianças e adolescentes são, muitas vezes, intensos. Eles podem ser rapidamente tomados por sentimentos de emoção, frustração, medo ou alegria.

Nesse sentido, precisamos fazê-los entender que a regulação emocional é muito mais do que apenas "controlar os sentimentos".

Regular emoções significa ser capaz de pensar sobre como lidar com os sentimentos. Como controlar a forma, positiva ou negativa, que reagimos a uma emoção.

Em resumo: queremos que nossos filhos tenham todos os seus sentimentos, mas que não se deixem dominar por nenhum deles.

FORMAS DE AJUDAR SEU FILHO A CONTROLAR AS EMOÇÕES

Uma das coisas mais importantes a fazer em relação aos nossos filhos é ensiná-los a desenvolver suas habilidades emocionais, mas como fazer isso?

1. EM PRIMEIRO LUGAR, AJUDE-O A RECONHECER SEUS SENTIMENTOS

Antes de a criança e o adolescente poderem aprender a controlar suas emoções, primeiro eles precisam aprender a identificar exatamente qual emoção estão sentindo e por quê. Você pode ajudar seus filhos a perceber e dar nome aos seus sentimentos: se hoje está feliz, triste, animado, alegre, preocupado, frustrado, irritado, envergonhado, surpreso etc.

Depois de entender o sentimento, a criança ou o adolescente precisa aprender a observar a escala e a razão de suas emoções. O quão irritado ou frustrado ele está? Por quê? A intensidade do sentimento está compatível com a situação? Eu normalmente sugiro orientar uma escala de 0 a 10, em que 5 é o número que indica que esse sentimento consegue afetar seu dia de modo significativo.

Quando aprendem a prestar atenção e perceber como estão se sentindo, eles sabem avaliar suas emoções e a intensidade delas e passam a ter uma espécie de autocontrole sobre sentimentos e comportamentos.

2. É MUITO IMPORTANTE TAMBÉM RESERVAR UM TEMPO PELO MENOS DUAS VEZES POR SEMANA PARA CONVERSAR COM SEU FILHO SOBRE OS SENTIMENTOS DO DIA A DIA

Conversar com os filhos sobre o que é sentir raiva, tristeza, alegria, nervosismo ou animação vai deixá-los mais à vontade para falar sobre os sentimentos com você.

Quando eles se sentem confiantes para conversar sobre as próprias emoções, têm maior facilidade de expressar os sentimentos sem precisar representá-los por meio de atitudes e comportamentos negativos.

Portanto, precisamos reservar esse precioso tempo para ouvir as preocupações dos nossos filhos. E é claro que normalmente não conseguimos ouvir pacientemente quando estamos cansados, apressados ou sobrecarregados com as tarefas e os compromissos do dia a dia.

Nessas conversas, ajude-o a entender que os maus sentimentos, embora dolorosos, não duram para sempre. Que através dos próprios esforços, e com a sua ajuda, ele pode melhorar as coisas de maneira significativa.

Essa pode ser uma das lições mais importantes que podemos ensinar para a vida dos nossos filhos, uma lição essencial para a saúde mental e emocional deles.

3. ESTIMULE E ENCORAJE-O A FALAR SOBRE SENTIMENTOS DIFÍCEIS

Quanto mais cedo seu filho souber identificar sentimentos que são mais difíceis de lidar, mais fácil será para ele superá-los. Vamos supor que ele seja muito tímido, e que, por isso, tenha dificuldade para se relacionar com outras pessoas. A partir do momento em que ele falar abertamente sobre isso com você, comece a explorar e compreender com ele o conceito da timidez. O que caracteriza a timidez, por que as pessoas sentem timidez? O que pode ser feito para superar essa angústia? Ajude seu filho a entender a fundo o problema, mas também a buscar soluções. Além de empoderá-lo com informações e resoluções para o problema, você fortalecerá muito a relação entre vocês dois.

4. PRIORIZE UMA CONEXÃO PROFUNDA ENTRE PAIS E FILHOS

Os recém-nascidos param de chorar quando são acalmados pelo pais. As crianças e adolescentes também precisam se sentir conectados com os pais para poderem se regular emocionalmente. Quando observamos que nosso filho está emocionalmente abalado, a coisa mais importante a fazer é tentar nos conectar com ele por meio da atenção, orientação, paciência e amor. Quando nossos filhos sentem que estamos satisfeitos com eles, eles querem cooperar mais e mais. Uma conexão profunda entre pais e filhos cria relacionamentos mais felizes e anula consideravelmente o mau comportamento dos filhos.

5. TENTE EXPLICAR A ELE QUE A MELHOR FORMA DE CONTROLAR UMA EMOÇÃO É CONTROLANDO O PENSAMENTO

Nossas emoções são consequências dos nossos pensamentos, e não o contrário. Se pensamos em coisas positivas, criamos na nossa mente sentimentos de alegria e felicidade. Se pensamos em coisas negativas, alimentamos a angústia e o medo. No processo de controle entre razão e emoções, é fundamental ensinarmos aos nossos filhos sobre a importância de saber observar e substituir os pensamentos negativos por positivos. Se queremos que eles desenvolvam o autocontrole, primeiro precisamos ensinar a eles a observar e a controlar o que pensam.

6. ENSINE-O A IDENTIFICAR E NEUTRALIZAR OS DIFERENTES GATILHOS EMOCIONAIS QUE O FAZEM PERDER O CONTROLE

Os gatilhos emocionais são situações que normalmente já aconteceram anteriormente na nossa vida e que estimulam sentimentos negativos que existem em janelas escondidas do nosso cérebro. Gatilhos emocionais são um dos fatores que mais atrapalham o nosso autocontrole. Se você não sabe lidar bem com uma determinada situação, toda vez que ela acontecer pode despertar seu gatilho emocional. Alguém o contradiz, ou ignora, ou critica, ou tenta controlá-lo, ou o culpa por alguma coisa que você não fez. Esses são alguns exemplos clássicos de gatilhos mentais que podem fazer todos nós, crianças, adolescentes, jovens ou adultos a perder a cabeça. Mas se forem percebidos e examinados, esses gatilhos podem ser neutralizados a tempo, antes de despertarem emoções negativas em nós. O objetivo é que esses pensamentos negativos parem de nos controlar e de nos atrapalhar. Felizmente, existem maneiras saudáveis de lidar com esses gatilhos e reduzir as nossas reações negativas. Para isso, precisamos estar conscientes para perceber e neutralizar cada um deles.

7. ENSINE A SEU FILHO ESTRATÉGIAS PARA SE ACALMAR

Apresente-o a diferentes estratégias que ele possa utilizar quando precisar se controlar. É importante explicar que todos nós, em algum momento da vida, nos irritamos e podemos perder o controle. E, quando isso acontece, é essencial que a gente saiba respirar fundo e exatamente o que fazer para ganhar tempo e recuperar o autocontrole. Ensine a ele que o importante é fazer qualquer coisa que dê ao cérebro tempo para retomar o controle e conseguir substituir o pensamento que o irrita por outro mais positivo. Esse tempo em média não dura mais que dez segundos. Porém, cada pessoa é diferente, e cada uma vai precisar de uma ação diferente para começar a se acalmar. Ajude seu filho a identificar e perceber ações adequadas para ele. O importante é fazer algo que dê a ele tempo de retomar o controle dos próprios pensamentos: ele pode contar até dez, ouvir uma música que o acalme, ir tomar um banho etc.

8. NÃO TENTE CONVERSAR OU ENSINAR ALGO A SEU FILHO ENQUANTO ELE ESTIVER DESCONTROLADO

Se seu filho estiver no meio de um ataque nervoso, é inútil querer conversar com ele. Existe uma grande chance de vocês acabarem discutindo. Primeiro, oriente-o imediatamente a colocar em prática umas das estratégias para ele ter tempo de se acalmar. Não inicie conversa nenhuma ou pergunte nada até que seu filho tenha retomado o controle da situação. Não vai ajudar nada se você tentar ajudá-lo a pensar enquanto ele está enfurecido e fora de controle. Uma vez calmo, ele será capaz de ouvir você e pensar mais claramente sobre o ocorrido. Orientado, ele será capaz de racionalizar qual teria sido a maneira mais adequada para lidar com a situação que o fez perder o controle.

9. ENSINE E ORIENTE SOBRE A EMPATIA. AJUDE-O A SER CAPAZ DE RECONHECER COMO OS OUTROS SE SENTEM E A SE COLOCAR NO LUGAR DO OUTRO

Ajudar seu filho a entender e respeitar os sentimentos dos outros é mais uma habilidade essencial no mundo moderno. Quanto mais uma criança ou adolescente for capaz de identificar e respeitar os sentimentos dos outros, mais bem preparada ele estará para lidar com as próprias emoções e sentimentos. Ao ser capaz de ouvir um amigo com atenção e respeito, ao perceber as expressões faciais e linguagem corporal das pessoas, seu filho desenvolverá melhor compreensão dos sentimentos dos outros. Isso, por sua vez, pode ajudá-lo a interagir, a se comunicar melhor com as pessoas e a construir relacionamentos mais saudáveis e duradouros.

10. NOSSOS FILHOS DESENVOLVEM O AUTOCONTROLE DE MANEIRA MAIS EFICAZ QUANDO SE SENTEM MAIS CONFIANTES DE QUE SEUS SENTIMENTOS SERÃO OUVIDOS E ENTENDIDOS

Quando uma criança ou adolescente tem a segurança de que seus sentimentos e emoções serão considerados e compreendidos, suas emoções se tornam menos urgentes e dramáticas. Cada decepção e frustração é menos dolorida, menos catastrófica. Nossos filhos, quando têm essa segurança, são menos insistentes nas suas necessidades de atenção, e normalmente são mais abertos e flexíveis na busca das soluções para seus problemas. Eles ficarão menos propensos a desenvolver culpas e negações, sendo inclusive mais capazes de sentir empatia e preocupação com os outros, além de assumir mais tranquilamente as responsabilidades por suas ações.

11. ORIENTE OS COMPORTAMENTOS DO SEU FILHO, MAS EVITE PUNIÇÕES

Castigos, consequências negativas ou alguns tapas não dão aos nossos filhos a ajuda e os exemplos de que eles precisam para lidar com as emoções ou até mesmo melhorar o comportamento. Na verdade, esse tipo de reação dos pais transmite a mensagem que, quando são punidos, foi porque as emoções que as levaram a se comportar mal são ruins. Então, em vez de encarar o que sentem de frente, eles tentam reprimir essas emoções em suas "mochilas emocionais", que dessa forma ficam cada vez mais cheias. E o problema não é necessariamente a emoção em si, mas sim a forma como nossos filhos lidam com ela. Por incrível que possa parecer, a punição geralmente leva a comportamentos piores, praticamente formando uma bola de neve. Os sentimentos negativos continuam extravasando para fora da "mochila emocional", e seu filho se torna cada vez mais desobediente e agressivo porque não consegue controlar a emoção negativa que o fez se comportar mal. Em vez de punir, ajude seu filho a manter-se no caminho certo por meio da disciplina positiva e principalmente através de exemplos do que você faz.

12. É MUITO IMPORTANTE IMPOR LIMITES PARA NOSSOS FILHOS

Validar as emoções deles não significa ser compassivo e permitir que façam o que querem. Precisamos, sim, garantir que sintam seguros o suficiente para expressar suas emoções e para aprender a lidar com elas, mas é evidente que precisamos deixar bem claro os limites para suas ações. Por mais impressionante que possa parecer, a maioria das crianças e adolescentes que tem mau comportamento normalmente não tem pais agressivos, muito pelo contrário. São filhos de pais compassivos e generosos que têm dificuldade em dizer “não” e impor limites claros. E limites claros são uma referência fundamental para crianças e adolescentes aprenderem a se comportar.

13. SEJA O EXEMPLO E PRESTE ATENÇÃO NAS PRÓPRIAS ESTRATÉGIAS DE AUTOCONTROLE

Crianças e adolescentes aprendem nos observando e nos imitando, e são muito rápidos em assimilar e imitar comportamentos, sejam eles bons ou ruins. Quando gritamos, aprendem a gritar. Quando falamos com respeito, aprendem a falar respeitosamente. Seja um modelo positivo para seus filhos e fique atento para executar na prática o que você ensina na teoria. Precisamos estar cientes de que nossos filhos estão nos observando até mesmo quando não nos damos conta, e que precisamos saber como nos acalmar e manter o controle principalmente na frente deles.

Toda vez que você estiver com raiva de alguma coisa, tente mostrar a ele o que está fazendo para conseguir se controlar; dessa forma, você está ensinando sobre regulação emocional. E a maioria de nós ainda precisa melhorar muito esse tipo de comportamento.

Para que seu filho se desenvolva como um indivíduo seguro, amoroso e resiliente, valorize seu comportamento positivo, elogie suas realizações, escute suas preocupações com atenção, demonstre paciência quando ele cometer um erro, incentive seus talentos e interesses, mostre consideração por seus sentimentos. Essa é a fórmula do amor incondicional!

Agora é a hora de você criar o seu Plano de Controle Emocional. Disponibilizamos aqui uma tabela para ajudá-lo a montar o seu Plano de Controle Emocional pessoal e o da sua família.

Caneta e papel na mão, e vamos escrever o dia da semana e o horário que planejamos começar a prática de meditação, de preferência junto aos nossos filhos. No começo podem ser cinco minutos, aumentando um minuto por dia até chegar ao tempo médio ideal de meditação de vinte minutos diários.

PLANEJAMENTO DE CONTROLE EMOCIONAL	
DIA DA SEMANA	**MEDITAÇÃO**
SEGUNDA	
TERÇA	
QUARTA	
QUINTA	
SEXTA	
SÁBADO	
DOMINGO	

MUITOS SÃO OS BENEFÍCIOS QUE A MEDITAÇÃO TRAZ PARA O CORPO E A MENTE, E COM AS CRIANÇAS ISSO NÃO PODERIA SER DIFERENTE! ESSA PRÁTICA AJUDA A MELHORAR A CONCENTRAÇÃO, A CONTROLAR A ANSIEDADE E A DIMINUIR O ESTRESSE E A TENSÃO.

CAPÍTULO 13

HORA DO PLANEJAMENTO DE SAÚDE PARA TODA A FAMÍLIA

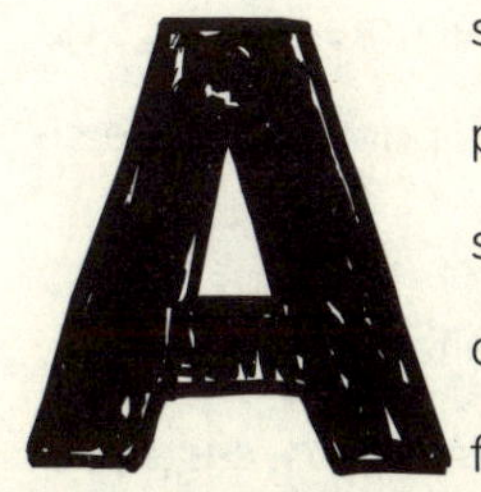

ssim como milhares de pais que já participaram de nossas palestras, agora você já sabe as principais causas dos problemas que afetam a nossa saúde e a dos nossos filhos, bem como já adquiriu conhecimentos a respeito dos quatro elos da saúde e de como eles podem impactar de maneira positiva a nossa qualidade de vida. Então é hora de começar o planejamento de saúde familiar.

Nós sempre falamos nas nossas palestras e workshops que qualquer atividade humana realizada sem um tipo de preparo, de maneira aleatória, conduz o indivíduo, em geral, a destinos não esperados, altamente emocionantes, e que podem inclusive conduzir a situações piores do que aquelas anteriormente existentes.

Se você deseja alcançar um objetivo de maneira mais rápida e eficiente, o melhor recurso em qualquer área é utilizar o planejamento. Assim, você obtém mais clareza e visão para a tomada de decisões.

Planejamento é o ato de estabelecer o estado atual, definir o objetivo e meta, realizar uma análise da situação atual e seus influenciadores, traçar um plano de ação e fazer as verificações e ajustes necessários para continuar o ciclo.

Atualmente, somos ensinados nas faculdades e cursos de MBA que para qualquer atividade precisamos de um planejamento, seja o sonho de uma viagem, a compra de um carro novo ou uma casa, a abertura de uma empresa, a aposentadoria etc.

Porém, muitas vezes, esses sonhos são adiados por anos, pois o planejamento não foi realizado de maneira correta e os acontecimentos do cotidiano acabaram atrasando a conquista do objetivo, principalmente se não foi passado para o papel.

Em relação à nossa saúde e a da nossa família, essa falta de planejamento pode custar muito caro e os resultados podem ser catastróficos, custando, às vezes, até a nossa própria vida ou a vida de alguém que amamos.

O grande problema é que nunca fomos ensinados ou ouvimos falar da necessidade de planejar a própria saúde, talvez porque, quando somos novos e realizamos nossos planos de vida, tenhamos 100% da nossa saúde. Só vamos nos dar conta de que já perdemos parte significativa dela quando começamos a perceber os primeiros sintomas das doenças. Aí, muitas vezes, dependendo da doença, já é tarde demais.

O NOSSO PLANEJAMENTO DE SAÚDE DEVE SER FEITO ATRAVÉS DE UM PLANEJAMENTO ESTRATÉGICO QUE PRECISA SER COMPARTILHADO COM NOSSOS FAMILIARES, SOLICITANDO APOIO PARA A SUA CONCRETIZAÇÃO POR MEIO DE UM PLANO DE AÇÃO QUE ENVOLVA MUDANÇAS DE HÁBITOS DE TODA A FAMÍLIA.

Mas de nada adianta fazer um belo planejamento da sua saúde e não olhar para ele sempre que possível. Planejamento sem ação não tem nenhum valor! Como planejar?

Se você já tem prática com planejamento, fique muito feliz por já estar à frente. Agora, se não costuma planejar e gostaria de algumas dicas simples para começar, acompanhe o passo a passo e o coloque em prática o mais rápido possível, porque o depois pode nunca chegar.

Pegue caneta e papel e comece. Essa tarefa deve ser realizada para cada meta que desejamos atingir, pois toda meta deve ser específica, mensurável, alcançável e estimulante.

1. **Em primeiro lugar,** vamos definir e detalhar cada meta que cada indivíduo ou toda a família pretende atingir em relação aos hábitos de saúde, gerando atividades a serem realizadas e organizando como serão feitas.
2. **Por quê?** Essa pergunta é fundamental, pois identifica qual o verdadeiro motivo pelo qual se deseja realizar essa meta, como começar a fazer uma atividade física, dormir melhor, praticar a atenção plena, emagrecer, começar a meditar. Essa pergunta determina, muitas vezes, a persistência de cada pessoa no projeto quando pensar em desistir.
3. **O quê?** Estabeleça as metas a serem atingidas e identifique as atividades necessárias, definindo a tarefa de cada um. Quanto mais específica for a meta, mais facilmente será alcançada.
4. **Quem?** Defina quem poderá ajudá-lo a realizar essas atividades. A participação de cada membro da família é muito importante, pois vão se autoestimular, ajudando um ao outro, e até evitando colocar tentações

no caminho que façam algum membro da família desistir do objetivo final.

5. **Onde?** Quais os locais onde as atividades determinadas deverão ser realizadas.
6. **Quando?** Defina a data e horário ou o prazo para cada atividade e até mesmo para cada membro da família.
7. **Como?** Nessa etapa, defina como será feita cada atividade para que o planejamento seja concretizado e o objetivo atingido.
8. **Quanto?** Esse objetivo pode custar tempo, dinheiro ou recursos.

Seguindo esses passos, e utilizando os modelos de cada elo da saúde presentes neste livro, o seu planejamento de saúde familiar estará encaminhado. De preferência, o planejamento de saúde deve ser feito de maneira semanal, tendo um dia como referência (sugerimos que esse dia de planejamento seja o domingo).

Lembre-se de colocá-lo em prática e de acompanhá-lo diariamente, fazendo revisões e ajustes sempre que necessário. A sua qualidade de vida vai aumentar tanto que sobrará tempo até para planejar todos os outros aspectos da vida. Acredite!

A SUA QUALIDADE DE VIDA VAI AUMENTAR TANTO QUE SOBRARÁ TEMPO ATÉ PARA PLANEJAR TODOS OS OUTROS ASPECTOS DA VIDA. ACREDITE!

CAPÍTULO 14
COMEMORANDO AS CONQUISTAS DE UMA FAMÍLIA SAUDÁVEL

O Farol de Santa Luzia sempre nos serviu de inspiração quando fazíamos nossas corridas matinais. Ele fica em Vila Velha, bem na entrada da baía de Vitória. Foi erguido a pedido de João Maurício Wanderley, mais conhecido como Barão de Cotegipe, que era o ministro da Guerra do Império. Fabricado em Glasgow, na Escócia, no ano de 1870, foi trazido para o Brasil e instalado no local em que está hoje.

A história conta que o farol foi construído em terra firme e hoje encontra-se a 200 metros da beira-mar. Entrou em funcionamento em 1871, quando foi inaugurado por dom Pedro II (1840-1889), visando orientar as embarcações que normalmente transitam de e para os portos de Vitória, Vila Velha e Tubarão.

Os faróis são os guardiões da costa de qualquer parte do litoral mundo afora, sempre situados em locais estratégicos, e sinalizam aos navegantes, amadores ou profissionais, a pequenos veleiros ou grandes navios os perigos próximos e ajudam a confirmar o rumo certo a ser seguido, evitando certas "armadilhas" que podem custar vidas.

Semelhantemente, nós pais temos o papel de sermos faróis na vida dos nossos filhos, para determinar os riscos e também os caminhos mais seguros. Porém, esse tempo que passamos com os nossos filhos às vezes é muito curto para construirmos uma fundação sólida que resista às tempestades da vida. É por isso que neste último capítulo queremos encorajá-lo a assumir o compromisso de ser um pai ou uma mãe exemplar em relação à saúde da sua família.

Sabendo que nossos filhos se tornarão o que nós somos, devemos prestar atenção e sermos o modelo de vida saudável que nós queremos que eles tenham.

Muitas pessoas dizem que a Maitê é mais parecida com a mãe e a Luma é mais parecida com o pai, e é engraçado que nem sempre conseguimos perceber essas comparações. De vez em quando, notamos algumas semelhanças genéticas, mas é engraçado entender como completos estranhos conseguem reconhecer algo de maneira tão óbvia.

Seja como for, eu sei que essas duas garotas crescerão e se tornarão mais semelhantes a nós do que qualquer outra pessoa nas nossas vidas, para o pior e também para o melhor, e você sabe que o mesmo vale para você e os seus filhos.

É por isso que escrevemos este livro. O fato de que as crianças cresceram para serem iguais aos pais é a essência do guia de saúde para os filhos. É a essência para você se tornar o pai e a mãe que deseja ser. Afinal de contas, ser pais não gira em torno dos pais, gira em torno das crianças e da maneira como nós, como seus guardiões apontados por Deus, as moldamos.

Neste capítulo queremos ressaltar mais uma vez um ponto essencial que já desdobramos na primeira parte do livro: ser pai tem mais a ver com quem você é do que com o que você fala.

Temos também que levar em consideração que ser pais saudáveis é um trabalho em equipe; os traços de cada pai e de cada mãe contribuem com algo de grande valor para os nossos filhos e, no fim, sua combinação única de traços representará a matéria da qual os seus filhos serão feitos.

Temos um caso interessante de um casal de amigos, de 45 e 38 anos, que tem dois filhos adolescentes, de 12 e 13 anos, muito parecido com a nossa estrutura familiar.

Depois de participarem de um curso ministrado por nós em dezembro de 2017, chamado Medicina Life Style (que nada mais é do que a medicina do estilo de vida), eles conseguiram identificar padrões e hábitos que já os incomodavam havia um bom tempo, mas que não conseguiam perceber: todos os membros da família estavam com sobrepeso, não praticavam atividade física nenhuma, se alimentavam de maneira pouco saudável, os horários de sono da família eram totalmente desregulados e desencontrados. Os pais estavam passando por uma fase de crise conjugal e pensando em se separar, diziam que o ambiente familiar estava muito pesado, e sentiam que os filhos estavam se distanciando deles pelas brigas constantes, mas também havia os problemas emocionais pelos quais os dois estavam passando.

Nós ficamos muito felizes ao saber em um depoimento que a família nos fez, seis meses após o curso, que os ensinamentos por eles apreendidos foram a centelha que acendeu a luz para toda a família, trazendo clareza, mas também aquecendo a relação de todos os membros.

O curso durava o dia todo, e aconteceu em um sábado chuvoso. A cada palestra, os pais iam percebendo o quanto a vida deles e a saúde de toda a família precisavam ser ajustadas.

No primeiro dia após o curso, no domingo, eles reuniram os filhos e comunicaram a mudança que estavam dispostos a fazer para salvar a família. Os olhos dos filhos brilharam quando perceberam a intenção dos pais em dar mais uma chance para reconstruir e manter a família unida. Eles ficaram muito felizes e se propuseram a se dedicar de corpo e alma a esse projeto de vida.

Caneta e papel na mão, fizeram todos os planejamentos: atividade física diária, alimentação equilibrada e saudável, dando preferência a comidas de verdade, horários para dormir e acordar, praticando, é claro, os ensinamentos da higiene do sono. Na parte emocional combinaram de fazer uma viagem em família para juntos escalarem uma montanha. Se dedicaram ao máximo a aprender a meditação, que hoje é realizada por todos os membros da família.

Esse planejamento uniu mais do que nunca aquelas quatro pessoas que passaram a trocar diariamente motivação, entusiasmo, companheirismo, e acima de tudo, muito amor.

Após iniciada a implantação de todos esses conceitos de hábitos saudáveis, eles afirmam que a vida mudou da "água para o vinho". Todos estão com peso adequado para altura, sexo e idade, eles se alimentam com prazer e adoram fazer compras na feira e no supermercado juntos, bem como preparar pratos deliciosos. O sono da família é sagrado, e todos acordam com muita energia e disposição. O casal está mais unido do que nunca, e a sua relação com os filhos se tornou muito próxima, fazendo com que eles pudessem usufruir de uma vida feliz em família.

Pratique o seu Planejamento de Saúde como se sua vida e a da sua família dependesse disso, pois, de várias formas, depende. Você deu um grande passo ao ler este livro e, agora que já sabe utilizar todas as técnicas de saúde para controlar vários aspectos da sua vida, terá uma grande sensação de alívio. É muito importante estimular esses conceitos de hábitos saudáveis nos nossos filhos desde pequenos, pois dessa forma teremos muitos benefícios na nossa vida familiar.

O problema é que nenhum de nós sabe quanta saúde e quanto tempo temos para viver. Você começa com todas as oportunidades do mundo e, de repente, não tem mais nenhuma. Todo novo momento é uma nova oportunidade e, agora que sabe como planejar a saúde da sua família, você conseguirá usar esses momentos de modo totalmente novo.

A única coisa da qual se arrependerá é de não ter aprendido tudo isso antes. Nosso desejo mais profundo é que as ideias apresentadas neste livro possam servir como luzes no caminho da saúde para todas as famílias.

Muitas pessoas passam a vida inteira sem fazer esses questionamentos e simplesmente "deixam a vida nos levar". Mesmo que elas tenham o conhecimento necessário para fazer alguma coisa, faltam-lhes atitudes para colocar todo o conhecimento em prática. Por quê? Porque, sempre que tentamos mudar nossas atitudes ou nossos padrões de hábito, confrontamo-nos com nossa zona de conforto pessoal e, quando essa mudança envolve a família toda, é ainda mais difícil confrontar várias zonas de conforto. Essas são as barreiras naturais ou bloqueios da nossa mente. É a parte de cada um de nós que silenciosamente diz: "Eu gosto das coisas do jeito que elas estão."; "É melhor deixar assim."; "Assim é mais seguro, não corro riscos."

Saiba que o futuro nada mais é que o resultado de suas atitudes no presente. Afinal, a vida que levamos hoje é consequência das nossas escolhas e atitudes no passado. E se no passado não tomamos as atitudes necessárias para alcançar nossos objetivos, possivelmente estaremos frustrados no presente.

Lamento dizer: não dá para criar um futuro próspero sem tomar atitudes. Assim, faz sentido que, se você tem um objetivo de vida, se sabe onde quer que sua família esteja ou como quer ver seus filhos felizes e muito saudáveis daqui a dez anos, precisará tomar atitudes hoje e, assim, alterar seu futuro e os seus hábitos de saúde e de vida, trazendo consigo seus filhos que seguirão seus ensinamentos e, mais que isso, seus exemplos.

Se quer obter resultados positivos, se quer chegar aonde projetou estar daqui a dez anos, precisará aliar conhecimento com as atitudes necessárias para atingir resultados. Por que a atitude é importante? Porque, se você continuar tendo as mesmas, obterá os mesmos resultados. Portanto, para obter resultados diferentes, é essencial adotar posturas diferentes.

A vida familiar é um projeto que você mesmo constrói. Suas atitudes e escolhas de hoje estão construindo a "casa" que sua família vai morar amanhã. Construa com sabedoria! Por onde começar? Siga as dicas de atitudes e planilhas de planejamento deste livro para mudar o seu futuro e o de toda a sua família!

DR. THANGUY FRIÇO E DRA. PATRÍCIA FRIÇO

SAIBA QUE O FUTURO NADA MAIS É QUE O RESULTADO DE SUAS ATITUDES NO PRESENTE. AFINAL, A VIDA QUE LEVAMOS HOJE É CONSEQUÊNCIA DAS NOSSAS ESCOLHAS E ATITUDES NO PASSADO.

ESTE LIVRO FOI IMPRESSO PELA GRÁFICA EDIÇÕES LOYOLA EM PAPEL PÓLEN BOLD 70G EM AGOSTO DE 2021.